JN007515

ジェネレーティブ
AIの衝撃

80％の仕事が影響を受ける
未来を塗り替えるテクノロジーの波に乗れ

LLM-X
馬渕 邦美 著

日経BP

はじめに

　対話型AI「ChatGPT」が大きな注目を集め、ネット・テレビ・新聞など
で連日大きく取り上げられています。話題の範囲はビジネス・産業にと
どまらず、教育・政治・文化と幅広く、その有用性について議論される
一方で、間違いや悪用、個人情報を含むデータ利用、著作権を含む知的
財産権問題などが指摘されています。問題点が指摘されるのは注目の高
さの裏返しであり、インターネットやスマートフォンなど、大きなイノベー
ションが起こったときにはいつも生じていることです。

　ChatGPTはOpenAIのサービスです。そのベースとなるテクノロジー
を「Generative AI（ジェネレーティブ AI）」、日本語では「生成（系）AI」
と呼びます。Generative AIは自然言語でテキストなどを生成するのが
特徴で、従来のAI以上に応用範囲が広く、小学生から高齢者まで幅広い
層で利用できます。ChatGPTはテキスト・文章を対象にしますが、同様
に、画像や動画を生成するGenerative AI、プログラムコードを生成する
Generative AI、音声合成や音楽を生成するGenerative AIなどもあり、
それらの開発・利用は急速に進んでいます。

　Generative AIの影響範囲は広く、既存の産業や生活にも大きなインパ
クトを与えると考えられますが、そうした中でも特に、専門職・事務職・
技術系ホワイトカラーの働き方や雇用への影響は近い将来、とても大き
なものになると考えられます。一部では、「Generative AIが人間の雇用
を奪う」といった見方がされていますが、それは既存のAI、またインター
ネットやロボットなどのイノベーションが起こったとき、いつも言われて
きました。私は、雇用が奪われるという面より、生産性を向上させて新

しい働き方や雇用を創出し、企業の事業機会を創出し、また在宅や遠隔での勤務を含む新しい生活を可能にするという面の方がはるかに凌駕<ruby>凌駕<rt>りょうが</rt></ruby>すると見ています。

　Generative AIはデジタルテクノロジーであり、世界的なトレンドになっているデジタル化（Digital Transformation：DX）にも大きな影響を与えます。日本企業の実情を見れば、デジタル化で大きく後れを取っている企業の多くは更なるデジタル戦略の見直しが必要になると思います。

　デジタル化の後れの背景には、IT技術者の人材不足、導入する企業のデジタル化への意識の低さ、投資の問題などがあると考えられますが、結果的に日本の産業の生産性の低さにつながったことは否めません。

　日本社会は高齢化・人口減少問題に直面しており、生産年齢人口（15～64歳）のピークは1995年で、その後は減少を続けています。この問題を解決するには「生産性向上」が不可欠であり、AI、IT、ロボットなどの技術を導入することは必須で、人材不足が立ちはだかります。

　こうした状況にあってChatGPTのようなGenerative AIの登場は、日本にチャンスをもたらしてくれます。Generative AIはIT技術者のような人材が社内にいなくても利用可能で、これまでのデジタル化の後れを一気に取り返し、逆転できる可能性があるのです。

　現在、Generative AIの基盤技術は欧米優位ですが、まだ多くのレイヤーでは勝敗が決しているわけではありません。大企業ではGenerative AIを社内利用してデジタル化を一気に進め、スタートアップ企業はGenerative AIのアプリ開発やサービス提供などで世界に打って出ること

で、これからのデジタル社会の構図を変えるチャンスが生まれます。

　ただし、そのためには企業内カルチャーや組織体制の変革、規制環境の整備、倫理やあるべき社会像、働き方の検討、人間の主体的意思決定とAIとの役割分担・協調といった多くの課題を検討し、対応していく必要があります。

　本書は以上のような考えに基づき、ChatGPTを代表とするGenerative AIの技術や将来動向を踏まえたうえで、

- 「ビジネス・事業」(どのようなビジネスチャンスがあるか)
- 「業務適用・雇用」(ホワイトカラーはどのように活用すればいいのか)
- 「倫理」(生じ得る問題にどう対応していくか)
- 「未来」(ビジネスと雇用の両面で先手を打つにはどうすればいいか)

という視点で記述しています。

　本書は7章構成で、ポイントとなる箇所ではキーパーソンへのインタビューを実施しています。

　第1章では、Generative AIの概念、類型、用途などを概観し、Generative AIの発展に至る経緯や最近の動向を示します。そのうえで、Generative AIを「ビジネス・事業」と「業務適用・雇用」に分けて、その概要を示しています。前者は第3章、後者は第4章で、より詳しく述べています。インタビューは、Generative AIの教育や技術開発、スタートアップ支援を実施している伊藤穰一氏に登場していただきます。

第2章では、Generative AIの技術を概観するとともに、その基盤となる技術の発展経緯、用途とその拡大について示します。また、「シンギュラリティ」という言葉で示された人間の知能を超えるような状況にGenerative AIは達しつつあるのかも見ていきます。本章ではAI研究の第一人者、国のAI戦略会議の座長に就任された東京大学・松尾豊教授にインタビューをさせていただき、資料も活用させていただいております。

　第3章では、Generative AIの「ビジネス・事業」について、想定される産業構造を踏まえつつ、Generative AIをビジネス・事業として展開している企業とその事例などを示します。インタビューは、ChatGPT開発元のOpenAIと連携してGenerative AIに全面的に取り組んでいるMicrosoft（日本マイクロソフト）にさせていただいております。

　第4章のテーマは「業務適用・雇用」です。自社の業務にGenerative AIを利用している企業の代表としてパナソニック コネクトの事例を取り上げています。また、雇用、生産性、経済成長に関するマクロ的な試算結果から、Generative AIがホワイトカラーなどの仕事をどう変えるかを検討しています。インタビューは、パナソニック コネクト代表取締役樋口泰行氏に登場していただきます。

　第5章では、Generative AIにより生じ得る倫理や法律的な問題とその対応可能性について検討します。具体的には、間違いや悪用、個人情報を含むデータ利用、著作権を含む知的財産権の問題などです。欧米では規制やガイドライン作成、一部ではGenerative AIの開発凍結の意見も出ています。日本でも政治的な視点、教育視点などでの検討が進み、Generative AIの有用性を生かしつつ課題にいかに対応するか、議論されています。法規制のみでなく、利用者の倫理、企業の技術利用での解決、

業界団体などの自主規制の考え方を示しています。インタビューは、クリエーターの視点で杉山恒太郎氏、メタバースにGenerative AIを利用している、さわえみか氏に登場していただきます。

　第6章では、Generative AIの未来について、技術や用途、産業や市場の点から検討を加えています。そのうえで、ホワイトカラーが中心となる具体的な職種、業務について、どのように変化し、どのように対応していくべきかについて考え、今後ホワイトカラーに必要なスキルや能力、有望な職種を例示しています。インタビューは、AIやロボットに関する研究開発の第一人者、金出武雄氏に氏独自の見解を含めて伺っています。

　第7章では、1〜6章に示された内容を要約するとともに、今後留意すべき点、行政対応を含めた方向性や可能性を示しています。

　Generative AIは、インターネットやスマートフォンと肩を並べる革新的なイノベーションとして世界に躍り出ました。

　今、私たちはその黎明期に立っています。技術の開発、導入、そして商業化のスピードは速まる一方で、その影響はまさに我々の生活全体に及びます。短期的な視点では、特にホワイトカラーの職場で働き方が変化し、既存の職務が脅威にさらされるかもしれません。しかし、その一方で新たな職種や働き方への視野が広がり、これまでの常識が根底から揺らぎます。また、クリエーティビティ豊かな職種ではGenerative AIをいかに活用し、自身の能力をいかに伸ばすかという問いが、ますます重要性を増していくでしょう。

　この書籍の作成に当たり、多くの専門家にインタビューを実施し、彼・

彼女らの意見や資料を共有させていただくことで、深い洞察を得ること
ができました。本書はその成果の集大成です。ここで、ご協力いただい
たすべての方々に心からの感謝の意を表します。

　皆様が本書を通じて、自身の働き方の見直しやGenerative AIの活用に
よるスキルアップの可能性、企業におけるGenerative AIの導入とその生
産性向上や新規事業創出へのインパクトを探る参考になれば、これほど
うれしいことはありません。

目次

はじめに 2

第1章 Generative AI概論

1-1 Generative AIの基本概念 14

  （1）概要 14

  （2）Generative AIの発展経緯 18

1-2 Generative AIに関する最近の動向と用途 22

  （1）最近の動向 22

  （2）Generative AIの用途 28

1-3 Generative AIの「自社業務への適用」と
「ビジネス・事業への拡大」 30

  （1）Generative AIの自社業務への適用 30

  （2）Generative AIを利用した新しいビジネスモデル、事業の構築 34

インタビュー：伊藤 穰一 氏
デジタルガレージ 取締役 共同創業者 チーフ・アーキテクト 40

第2章 Generative AI 技術とその応用

2-1 Generative AI技術の概要 54

  （1）機械学習、深層学習（ディープラーニング） 57

  （2）自然言語処理技術、トランスフォーマー 60

  （3）大規模言語モデルとその利用 62

  （4）音声生成技術とその利用 66

  （5）画像生成技術とその利用 69

(6) 動画生成技術と利用方法 ················ 73

(7) コード生成技術 ···················· 74

2-2 Generative AIによるシンギュラリティの到来の可能性 ········· 76

2-3 Generative AI技術を使う応用展開 ··············· 82

(1) 応用展開を検討する視点 ················ 82

(2) Generative AIを用いた展開例 ·············· 83

インタビュー：**松尾 豊 氏**
東京大学大学院工学系研究科 人工物工学研究センター／
技術経営戦略学専攻 教授 89

第3章 Generative AIのビジネス・投資の現状分析

3-1 Generative AIのビジネス ··················· 102

(1) 事業構造 ······················ 102

(2) 対象分野別製品・サービスの実用例 ··········· 103

3-2 Generative AI関連の投資とスタートアップの成長 ······· 107

3-3 アウトプット類型別参入企業の特徴 ············ 112

(1) 概要 ························ 112

(2) テキストベース ··················· 116

(3) コードベース ···················· 118

(4) 画像ベース ····················· 118

(5) 動画ベース ····················· 119

(6) 音声ベース ····················· 119

3-4 Generative AI関連のMicrosoftの取り組み ········· 122

(1) AI関連の取り組み ·················· 122

(2) OpenAIモデルのある6つの分野 ············ 122

(3) 業務に特化したGenerative AIの提供 ·········· 124

*インタビュー：***小田 健太郎 氏**
日本マイクロソフト Azure ビジネス本部 AI GTM マネージャー⋯⋯⋯⋯⋯ 126

^{第4章} Generative AIが変えるホワイトカラーの仕事

4-1 パナソニックグループの導入事例 ⋯⋯⋯⋯⋯⋯⋯⋯⋯⋯⋯⋯ 142

4-2 Generative AIによる雇用への影響 ⋯⋯⋯⋯⋯⋯⋯⋯⋯ 145

（1）従来AIの雇用への定量分析 ⋯⋯⋯⋯⋯⋯⋯⋯⋯⋯⋯⋯ 145

（2）日本における雇用の見通し ⋯⋯⋯⋯⋯⋯⋯⋯⋯⋯⋯⋯ 149

（3）雇用への影響に関するゴールドマン・サックスのリポート ⋯⋯ 150

（4）大規模言語モデルの職種別影響に関する共同研究 ⋯⋯⋯⋯ 152

（5）ChatGPTと人間の比較に関する中国の研究 ⋯⋯⋯⋯⋯ 153

（6）Generative AIによる生産性向上に関する研究 ⋯⋯⋯⋯⋯ 154

4-3 ホワイトカラーの仕事に影響を与えるGenerative AI ⋯⋯ 156

（1）AIの利用に関するビジネスパーソンの意識調査 ⋯⋯⋯⋯⋯ 156

（2）ホワイトカラーの仕事がなくなる？ ⋯⋯⋯⋯⋯⋯⋯⋯⋯ 157

（3）インタビュー結果から見た人間に必要な能力 ⋯⋯⋯⋯⋯ 158

*インタビュー：***樋口 泰行 氏**
パナソニック コネクト 代表取締役 執行役員プレジデント 兼 CEO ⋯⋯⋯ 162

^{第5章} Generative AIの倫理

5-1 Generative AIの倫理的問題 ⋯⋯⋯⋯⋯⋯⋯⋯⋯⋯⋯⋯ 180

（1）AIの倫理的問題に関する法規制やガイドラインの動向 ⋯⋯⋯ 180

（2）Generative AIに関する倫理的問題の特徴と
法規制やガイドラインの動向 ⋯⋯⋯⋯⋯⋯⋯⋯⋯⋯⋯⋯ 183

（3）Generative AIに関わる具体的な倫理的問題 ⋯⋯⋯⋯⋯⋯ 187

　　　　（4）個別企業の対応事例 ································· 188

5-2 Generative AIを利用する際の注意点 ······· 193

　　　　（1）海外を含む規制やガイドラインなどに関する動向 ······· 193

　　　　（2）海外を含む具体的問題、今後の問題への対応 ············· 198

インタビュー： **杉山 恒太郎 氏**
ライトパブリシティ 代表取締役社長 ························· 205

インタビュー： **さわえみか（澤江 美香）氏**
HIKKY 取締役COO/CQO ····································· 214

第6章 Generative AIの未来

6-1 Generative AIの将来の展望 ··························· 220

　　　　（1）Generative AIの将来の方向性 ·················· 220

　　　　（2）Generative AIの課題への対応 ················· 223

　　　　（3）Generative AIのロードマップ ················· 225

　　　　（4）Generative AIの市場予測 ····················· 229

6-2 Generative AIによって生まれる新しい
ビジネス機会とホワイトカラーの仕事 ······· 231

　　　　（1）Generative AIによって生まれる新しいビジネス機会 ··· 231

　　　　（2）変化するホワイトカラーの仕事 ················· 236

　　　　（3）ホワイトカラーの職種別の変化と考えられる対応 ······· 239

　　　　（4）今後必要とされるスキル ······················· 244

　　　　（5）創出される雇用機会 ··························· 246

インタビュー： **金出 武雄 氏**
カーネギーメロン大学ワイタカー記念全学教授／京都大学高等研究院
招聘特別教授／産業技術総合研究所 名誉フェロー ········· 248

第7章 まとめ

7-1 各章の要約と今後のポイント ················· 264

　（1）第1章　Generative AI概論 ················· 264

　（2）第2章　Generative AI技術とその応用 ················· 266

　（3）第3章　Generative AIのビジネス・投資の現状分析 ·············· 267

　（4）第4章　Generative AIが変えるホワイトカラーの仕事 ············· 269

　（5）第5章　Generative AIの倫理 ················· 271

　（6）第6章　Generative AIの未来 ················· 273

7-2 今後に残された重要な論点 ················· 276

　日本におけるGenerative AIの研究開発、技術開発の方向性、可能性······· 276

　Generative AIの実証、社会実装を進める法規制、施策の必要性 ·········· 277

　Generative AIにおけるエコシステムの形成、可能性 ················· 277

　Generative AIを雇用、生産性向上の機会と捉えた対応の必要性·········· 278

おわりに ················· 280

インタビュイーのプロフィール ················· 283

第1章 | Generative AI概論

1-1
Generative AIの基本概念

（1）概要

　Generative AI（ジェネレーティブAI）は生成（系）AIとも言われますが、最近になって使われるようになった用語です。人工知能（AI）の定義自体も一様でない中、Generative AIを明確に定義するのは難しいのですが、Gartnerによれば、「AIシステムの出力を拡張して、設計・デザインや回路図にまで展開できる、ビデオ、物語（narative）、ソフトウエアコード、合成データなどの価値の高いアーティファクト（人工物）を生成する」[※1]、「コンテンツやモノについてデータから学習し、それを使用して創造的かつ現実的な、全く新しいアウトプットを生み出す機械学習手法」[※2]とされています。

※ 1 https://www.gartner.com/en/information-technology/glossary/generative-ai
※ 2 https://www.aist.go.jp/aist_j/magazine/20221026.html

　非常に注目を集めているテキストを生成するChatGPTが代表的ですが、簡単に言えば、画像、動画、音声、プログラムコード、合成データなどを生成するAIと言えます。

　少し専門的にはなりますが、研究の世界では、深層生成モデル（Deep Generative Model）として、2014年ごろから深層学習（ディープラーニング）の発展を機に盛んに画像データや音声データなどを生成できるモデルの開発が進められ、それが現在のGenerative AIにつながっていると考えられます。

第3世代のAIにおける中核技術といえる深層学習において、これまで主に注目されてきたのは認識や識別などのタスクであり、生成については必ずしも一般の大きな注目を集めるには至りませんでした。しかしこの状況は、画像生成AIやChatGPTのような対話型AIが注目されるにつれ、大きく変わりました。

このあたりの経緯や動向については、第2章の技術動向のところで説明します。

ここでは、生成AIであるGenerative AIと、識別や分類を行うAI（「識別AI」と記述する）を表形式で比較して示します（**図表1-1**）。

大きな相違は、Generative AIはデータを生成するのに対し、識別AIは与えられたデータがどのクラスに属するかを判別します。そのため、利用目的や用途も異なってきます。

識別AIは特定の課題に対して解決策を提示しますが、Generative AI

図表1-1　Generative AIと識別AIとの比較

項目	Generative AI（生成AI）	識別AI
アウトプット	新しいデータを生成	クラスラベル（データを識別）
目的	テキスト、画像、動画、音声、プログラムコードなど生成	特定のタスクに対する解決策提示（主にデータの分類、識別）
用途例	●知識提示、文章作成、要約 ●画像生成アート、デザイン ●音楽生成、動画生成 ●プログラムコード、データ補完	●画像認識、音声認識 ●分類や予測 ●病気の診断、異常検出 ●顧客セグメンテーション
共通技術	●ニューラルネットワーク（Neural Networks） ●ディープラーニング（Deep Learning） ●GPU（Graphics Processing Unit）などの高速な演算処理ユニット	

はテキスト、画像、動画、音声、プログラムコードなどを生成できます。目的に応じて様々な生成が可能であり、汎用性が高いことも特徴の一つです。

技術的に見れば、Generative AIも識別AIも、ディープラーニングを利用するなど共通性も高いのですが、後述する自己教師あり学習、トランスフォーマー、各種の推定技術などの特徴的な技術がGenerative AIの登場を可能にしています。これらの技術については、第2章で示すことにします。

結果としてGenerative AIは、テキスト系で知識提示・文章作成・要約など、画像音声系でアート・デザイン・音楽など、クリエーティブな領域での用途が拡大しています。

次に、Generative AIの機能別に主な企業の製品・サービス・モデルをまとめます（**図表1-2**）。テキストのみでなく、画像、動画、音声・音楽、プログラムコード生成と多様な製品・サービス・モデルがあります。表ではテキスト、画像、動画、音声、コードと分けていますが、実際はこれらが統合化してマルチモーダル化され、検索、事務処理、企画、マーケティング、設計、研究開発など、幅広くソフトやアプリが開発されつつあるというのが現状です。

本書執筆時点で、最も注目されている企業がOpenAIです。2023年4月にCEOのサム・アルトマン氏が来日し、岸田首相と面会したことが新聞やテレビなどで大きく取り上げられました。また、OpenAIはMicrosoftと提携し、同社のクラウドサービスや製品ソフトなどで活用されつつあります。ただし、Google、Amazon.com、Metaなどのビッグテックも、テキ

図表1-2　Generative AIの製品・サービス

機能	概要	企業（製品、サービス、モデル）
テキスト生成	自然言語のテキスト入力に対して、自然言語で回答するAI。ほかの機能との統合や高度化が図られている	● OpenAI（GPT-3、GPT-4、ChatGPT） ● Google（LaMDA、Bard）
画像生成	テキストでの指示に基づき、リアル/芸術的な画像を生成、編集や画像処理も可能なAI	● Midjourney ● Stability AI（Stable Diffusion） ● OpenAI（DALL-E、DALL-E2）
動画生成	テキスト入力や画像、動画フレームなどから動画を作成するAI	● Meta（Make-A-Video） ● Google（Imagen Video、Phenaki）
音声生成	音声の生成、音楽の自動作曲ができるAI	● Google（Tacotron 2） ● Amazon.com（DeepComposer）
コード生成	自然言語処理により、プログラムコードを自動生成するAI	● OpenAI（Codex） ● Microsoft（GitHub Copilot X）

スト生成を中心にGenerative AIを開発しており、競争は激化しています。

　OpenAIのChatGPTは、正式にはChat Generative Pre-trained Transformerであり、「生成可能な事前学習済み変換器」ということになります。その基盤になるのは、同社が開発した大規模言語モデルといわれるGPT-3、GPT-4です。ChatGPTは、「人間のフィードバックに基づいた強化学習」という手法を取り入れ、まるで人間と会話しているかのような自然な文章を生成でき、有害なテキストを生成しないようにモデルを微調整するといったことも行われています。

(2) Generative AIの発展経緯

　AIの歴史は探索・推論の時代である1950〜1960年代の第1次ブーム、知識の時代である1980年代の第2次ブーム、機械学習・ディープラーニングの時代である2010年代以降の第3次ブームと、技術的ブレークスルーと手法の変化がありました（**図表1-3**）。Generative AIの勃興で、第3次AIブームから継続して第4次AIブームに入ったとの見方もあります。

　Generative AIの始まりは、AI研究の初期に遡ります（**図表1-4**）。最初は確率モデルに基づき、与えられたデータを分析し、そこから新しいデータを生成する方法が研究されました。その後、1990年代に機械学習技術が登場するとGenerative AIに関する研究も進み、2010年代に入るとディープラーニング技術が登場し、2014年には画像系のGenerative AIにつながる「Generative Adversarial Networks（GAN）」が開発されまし

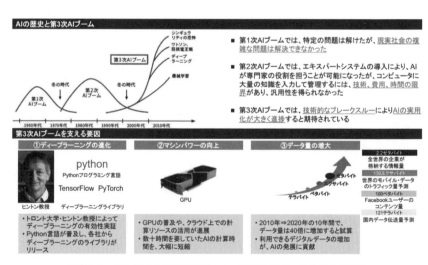

図表1-3　AIの歴史と第3次AIブーム、第3次AIブームを支える要因
出所：日本政策投資銀行、東京大学松尾研究室「ソフトインフラレポート〜DXの本質と産業変革に向けた提言」
（https://www.dbj.jp/upload/investigate/docs/7ba43732d18265cda516c88b6c56ea03_1.pdf）

た。GANは、ゲームのような設定で2つのネットワークを互いに戦わせて新しいデータを生成できるニューラルネットワークの一種です。このブレークスルーにより、人間の観察者をだませるほどリアルな画像や動画作成が可能になりました。

2015年ごろには画像・音声分野で人間を超える精度を達成したほか、2017年ごろからGenerative AIの隆盛の端緒となる「大規模言語モデル」

図表1-4　Generative AIの発展経緯

時期	概要	Generative AIにおける意味、動向
1950〜1960年代	AI研究の初期	研究者は単純なテキストや音楽を生成できるコンピュータープログラムを開発
1990年代	「機械学習」技術が登場	確率モデルに基づく生成モデル研究開始
2010年代前半	「深層学習（ディープラーニング）」技術が登場し、現在のAIブームが始まる	Generative AIにおいても深層学習（ディープラーニング）は基盤技術
2015〜2016年		2015年、画像生成AIに大きな影響を与えた拡散モデルが提案される
2017〜2018年	2017年、GoogleがTransformerを発表。大量のテキストデータで訓練され、多様な個別タスクに適応できる「大規模言語モデル」が登場	2018年6月にOpenAIはGPT、10月にGoogleはBERTという、Transformerを利用した言語モデルを発表
2019年		OpenAIがGPT-2をリリース
2020〜2021年	テキストデータ以外に画像などの視覚データを大量に学習するモデルも含めた「基盤モデル」が定着	2020年7月、OpenAIがGPT-3をリリース。2021年、画像生成のDALL-Eが登場
2022年		画像生成のStable Diffusionを公開。11月、テキスト生成が可能なChatGPTをリリース
2023年		3月、OpenAIがGPT-4をリリース。ChatGPTのユーザー数は2023年には1億人超え

の基盤技術が誕生しました。大規模言語モデルは、大量のテキストデータで訓練され、多様な個別タスクに対応できます。

2017年、Googleが深層学習モデルTransformer（トランスフォーマー）を発表しました。Transformerはもともとニューラル機械翻訳用のモデルとして開発され、入力された単語や文字を逐次的に処理しますが、注意機構（Attention）により、学習効率を上げているのが特徴です。これらにより、自然言語処理（NLP）についても2018年から急激に精度が向上し、2019年ごろには人間を超える精度を達成しました。

自然言語処理で高い精度を達成するには、大量の訓練データが必要ですが、様々なタスクのおのおのについて大量の訓練データを用意するのは容易なことではありません。そこで、まず、様々なタスクに共通的な汎用性の高いモデルを、事前学習（Pre-training）しておき、それをベースに個別のタスクごとに追加学習（Fine-tuning）を行うというアプローチが取られるようになりました。この事前学習で作られたトランスフォーマー型の深層学習モデルが2018年以降、自然言語処理においてスタンダードになり、改良・拡張を加えたバリエーションが多数生まれました。

特に注目されたのは、2018年にGoogleから発表されたBERTと、OpenAIから発表されたGPTです。BERTは自然言語処理のベンチマークの多くのタスクにおいて最高スコアを更新、さらにBERTを改良・拡張したモデルが2019年と2020年に10種類以上発表され、最高スコアも次々と更新されました。一方、GPTは2019年に長くまとまりのあるテキストを生成する能力を有するGPT-2、2020年7月にはバージョンアップしChatGPTにも利用されたGPT-3、2023年3月にさらにバージョンアップをしたGPT-4へとつながっています。

2022年11月にはテキスト生成が可能なChatGPTがリリースされ、わずか1週間以内に100万ユーザーを獲得しました。100万ユーザーを獲得するのに要した時間は、2004年開始のFacebookが10カ月、2006年開始のTwitterが2年間、2010年開始のInstagramが2.5カ月で、それらと比較しても異例のスピードといえます。さらに、ChatGPTのユーザー数は2023年には1億人を超えています。

　2023年になると、ChatGPTやBingなど自然言語処理に特化したGenerative AIが急速に普及し始めています。

　一方で、画像生成、音声生成AIに関しては、テキスト生成AIとは異なる経緯で発展してきました。前述した深層生成モデルのうち、2014年に開発されたGAN（Generative Adversarial Networks）やVAE（Variational Autoencoder）は、高精細な画像生成が可能で、さらに改良・機能追加が行われ、画像や音楽の生成を中心に用途が考えられています。

　さらに、画像生成AIの発展に大きな影響を与えたのが、2015年に最初に提案された拡散モデルです。拡散モデルを活用することで、GANよりもさらに高解像度な画像を生成することが可能になり、画像生成系AIとして2021年以降広く利用されることになったStable DiffusionやDALL-E2で採用されています。2022年夏に公開されたStable Diffusionでは、人間が多くの労力をかけて描いたような絵を数十秒から数分で作成できるようになりました。

　音声・音楽生成、動画生成、またプログラムコードに関わるGenerative AIの開発、利用も進められています。これらを含め、Generative AIの技術面については、第2章でもう少し詳しく説明します。

1-2
Generative AIに関する最近の動向と用途

(1) 最近の動向

Generative AIは、2023年1月にスイスのダボスで開催された「世界経済フォーラム（WEF）」でも注目を集めました[1]。2,700人以上の世界の政策立案者やビジネスリーダー、エコノミストが集まった会議で、MicrosoftのCEOであるサティア・ナデラ氏は、WEFの議長であるクラウス・シュワブ氏とのセッションで2023年初頭を「ChatGPTの瞬間」と発言し、Generative AIの急速な進歩、パーソナライズ、高度化について高く評価しました。この発言の後、Microsoftは自社サービスにChatGPTを統合し、Azure OpenAIサービスプログラムとしてChatGPTへのアクセスを拡大する計画を正式に発表しました[2]。

※1 https://www.pmg.com/blog/generative-ai-steals-the-show-at-world-economic-forum?category=get-insights
※2 https://qz.com/microsoft-chatgpt-azure-openai-service-1849994570

Generative AIに関する企業の動きは激しく、2022年11月にChatGPTが発表されて以降をまとめた表を見るだけでも、その様子がはっきりと分かります（**図表1-5**）。

Generative AIは開発・利用の面と、政府の規制や企業の自主規制という両面で急激な変化を見せています。

まず、OpenAIがChatGPTを公開してわずか2カ月で利用者数が1億人

図表1-5　ChatGPT一般公開以降のGenerative AIに関する動向

年月日	内容	具体的動向
2022年11月30日	「ChatGPT」一般公開	公開後1週間以内に利用者が100万人を突破、2カ月で1億人を突破
2023年2月7日	Microsoft、OpenAIの言語モデルを搭載した「Bing」を発表	ChatGPTを支える技術を搭載した検索エンジン「Bing」を発表、Googleに対抗
2023年2月7日	Google、会話型AIサービス「Bard」発表	対話アプリ用言語モデル「LaMDA」を活用した会話型AIサービス「Bard」発表
2023年3月8日	Microsoft、検索エンジンの利用者が1億人超える	シェア3%にとどまっていた検索エンジンBing利用者が1億人を超えたと発表
2023年3月14日	OpenAI「GPT-4」発表	司法試験で上位10%の能力、日本語でもGPT-3.5の英語版より高性能
2023年3月14日	Google、AIを全面展開	Google WorkspaceやGoogle Cloudにおける新たなGenerative AIの機能の導入を発表
2023年3月16日	Microsoft、ExcelやPowerPointにAI搭載計画を発表	ExcelやPowerPointにGPT-4を組み込む計画を披露
2023年3月17日	「Not By AI Badges」プロジェクト	AIではなく人間が作ったコンテンツにバッジを付けるプロジェクト開始
2023年3月21日	Adobe、独自の倫理原則に基づくAI「Adobe Firefly」を発表	画像生成機能、テキストエフェクトを提供、アプリケーションへの統合を予定
2023年3月23日	OpenAIがChatGPTなどのツールやサービスの利用規約を改定	他者を傷付けるコンテンツを無制限に生成することなど、以前よりも明確で具体的な禁止事項を例示
2023年3月28日	AIによるフルタイムの仕事3億人分の仕事代替可能性との報告書	米投資銀行ゴールドマン・サックスが新業務創出、生産性上昇を指摘
2023年3月28日	米国でAI開発の一時凍結を呼び掛ける署名運動開始	「フューチャー・オブ・ライフ・インスティチュート」発表。イーロン・マスク氏含む
2023年3月29日	英国政府「AI規制への革新的アプローチ」	AIの責任ある使用を求める一方で、技術革新を阻害する強引な法律導入は避ける方針
2023年3月31日	自民党、AIホワイトペーパー発表	自民党AIの進化と実装に関するプロジェクトチームによる
2023年3月31日	イタリア政府、ChatGPTの使用を禁止	個人情報保護に関する法律に違反している疑いがあり、一時的に使用を禁止
2023年4月5日	OpenAI、対話AI安全策公表	動作監視、個人情報の可能な限りの削除などの安全策

（次ページに続く）

年月日	内容	具体的動向
2023年4月6日	Meta、2023年内にGenerative AIを商用化する方針を公表	MetaのCTOが広告画像でGenerative AIの導入を発表、ほかにも利用を拡大する意向
2023年4月7日	日本、対話型AIの教育への活用に関する指針策定の方向	官房長官が文部科学省が取りまとめを行う方針を公表
2023年4月8日	デジタル相が霞が関の省庁業務にGenerative AIを取り入れる旨発言	河野デジタル相が衆院内閣委員会で発言
2023年4月11日	OpenAIのサム・アルトマンCEOが来日	岸田首相と面会、日本への拠点設置検討も発言
2023年4月13日	Amazon.comがGenerative AIへの参入を表明	Amazon.comは自社クラウド経由で提供
2023年4月25日	新しい資本主義会議におけるGenerative AI産業活用検討	産業での利活用に向けた環境整備を進めるとの見解
2023年4月29日、30日	G7デジタル・技術相会合でのGenerative AIに関する検討	Generative AIがもたらすリスクやメリットについての分析に基づくAIの利用に関する統一的な国際基準作りの必要性を提示
2023年5月10日	Google、生成AIの基盤技術公開、日本を含む180カ国で展開	大規模言語モデルPaLM2活用、日本語を含む主要40言語に対応、最新の情報も反映
2023年5月11日	AI戦略会議の初会合開催	生成AI活用ルールなどを議論
2023年5月19日	G7広島サミットで、生成AIのルールなどについて年内に見解を得ることで合意	担当閣僚による枠組み「広島AIプロセス」を立ち上げ、生成AIを含むAIの規制、開発、利活用などについて議論し、年内に結果を出す

を突破します。Microsoftは検索エンジンBing、オフィスソフトのExcelやPowerPointへのAI搭載計画を発表し、OpenAIは2023年3月14日、GPT-3の性能を大きく上回る「GPT-4」を発表。GPT-4の利用は海外を中心に進んでいます。一方、これに対抗してGoogleは会話型AIサービス「Bard」を発表し、「GPT-4」の発表日には、Generative AI機能を全面的に展開することを表明しています。実際に、Googleは5月10日には、大規模言語モデルPaLM2を活用し、日本語を含む主要40言語に対応する

基盤技術を公開しています。

　また、MetaやAmazon.comがGenerative AIへの参入を表明し、ビッグテックがそろってこの分野に参入し競合する状況になってきています。

　Generative AIの急速な普及に対して、その問題点の指摘もなされています。2023年3月に入って以降、AIに関する規制や開発中止を求める動き、また企業独自の倫理展開に基づく製品・サービス展開、AIではなく人間が作ったことを明示するなどの動きが顕著になりました。特に欧州ではGenerative AIを含むAIに対する法規制の動きが目立つ一方で、米国はガイドライン策定などによる企業の自主的対応の動きが中心であるなど、国による対応、方向性の相違が明らかになってきました。

　日本でも自民党による「AIホワイトペーパー」が2023年3月末に公表され、同年4月に入ると教育や省庁の業務へのGenerative AIの活用、OpenAIのサム・アルトマンCEOが来日し岸田首相と面会というように、政府関連の動きも激しくなりました。5月に入って、松尾豊・東京大大学院教授を座長とするAI戦略会議の初会合が開催され、AIの利用、懸念・リスク、AIの開発を論点として、検討が行われました。

　国際的な動きも顕著で、日本で開催されたG7デジタル・技術相会合では、「生成AI技術が顕著になる中で、生成AI技術の持つ機会と課題を早急に把握し、技術が発展する中で、安全性と信頼性を促進し続ける必要性を認識」「AIガバナンス、知的財産権保護、透明性促進、偽情報への対処、責任ある形で生成AIを活用する可能性について、G7における議論を行うための場を設ける」という文言を含む閣僚宣言、共同声明が採択されました。5月19日から広島市で開催されたG7首脳会議（サミット）でも、AI

に関する国際ルールのあり方に関する議論がされました。その結果、担当閣僚による枠組み「広島AIプロセス」を立ち上げ、生成AIを含むAIの規制、開発、利活用などについて議論し、年内に結果を出すことで合意しました。

Generative AIを含むAIに関する最近の論調について、内閣府作成の資料を示しておきます（**図表1-6**）。

図表1-6から、以下のことが指摘できます。

各国でGenerative AIを含むAIに関する法規制強化やその検討は進む一方で、米国の新たなAI研究機関の設立と資金提供、英国におけるAI大規模計算資源整備、基盤モデルの開発と利用に見られるように、政府による研究開発促進が進められています。一部でGenerative AIの開発凍結を求める動きはありますが、欧州を含めて多くの国でGenerative AIの研究開発自体に規制をかける動きはあまり見られません。

もう一つはアジア諸国の動向であり、インドは多言語間の翻訳・コミュニケーションなどを目的とする独自の大規模言語モデル開発、また韓国はサービス型ソフトウエアの開発と商業化を支援するプロジェクトを開始するというように、積極的な開発、商業化支援の動きが見られます。中国も政府当局は規制強化を進める一方で、後述するように10近い独自な大規模言語モデルとその活用が民間企業ベースで行われています。

一方で、ほとんどの国で消費者保護、国民の権利保護などの視点から、自国の状況の把握、法規制検討が行われていることも事実です。

図表1-6　Generative AIを含むAIに関する最近の各国の論調
（2023年5月11日開催のAI戦略会議の資料）
出所：内閣府、「AIを巡る主な論点」(https://www8.cao.go.jp/cstp/ai/ai_senryaku/1kai/shiryo2.pdf)

米国	● 米国行政管理予算局（OMB）は、国民の権利などの保護のため、政府機関におけるAI利用についてガイダンスを公開し、意見募集を行うと発表 ● ホワイトハウスは、新たに7つの国立AI研究機関を立ち上げるため、1億4,000万ドルの資金提供を発表。気候、農業、エネルギー、公衆衛生、教育、サイバーセキュリティーなどの重要分野における取り組みを促進
カナダ	● プライバシー・個人情報保護法（PIPEDA）の下、政府がプライバシーに関する懸念点を調査中
英国	● 競争・市場庁（CMA）が、基盤モデルの開発と利用における競争確保と消費者保護についての調査を開始 ● AI開発向けなどの大規模計算資源の整備に約9億ポンドを投資。また、今後10年間、AIに関する優れた研究に対し、毎年100万ポンドの賞金を授与することを決定
イタリア	● データ保護当局(Garante)が、利用者の年齢確認や情報提供義務、法的根拠を特定できていない点、正確性原則違反などを理由に一時的にChatGPTの利用を禁止。その後、OpenAIが対応措置を講じたことから禁止を解除
フランス	● データ保護当局（CNIL）は、ChatGPTに対する複数の申し立てに基づき調査を実施中
EU	● EU加盟国のデータ保護当局などが構成する「欧州データ保護会議」(EDPB)がChatGPTを取り扱うタスクフォースを設置。各データ保護当局の協力と情報共有を目的としているが、AIに関する包括的なプライバシーポリシーの確立に向かうのではとの見方もあり
中国	● サイバー空間管理機関（CAC）が、生成AIに関して、公衆向けサービスの提供前に当局に対して安全性評価を提出すること、生成AIの出力は共産主義の基本的な価値観に沿うものとすべきことなどを求める規制案を公表
韓国	● 個人情報保護委員会（PIPC）は、韓国の利用者に関するデータをChatGPTの開発にどのように利用されているか確認中 ● 国内のAT産業などの強化に約4億2,400万ドルを投資する計画を発表。2023年からは生成ATを活用した革新的なサービス型ソフトウエアの開発と商業化を支援する新しいプロジェクトが開始される予定
インド	● 政府主導プログラムの下で、インド独自の生成AI「BharatGPT」を開発中。23の公用語と6,000の方言があるといわれるインドで重要な異なる言語間の翻訳・コミュニケーションを主眼に、独自のデータセットを用いてLLMを開発している

以上の動向を見ると、もちろん倫理面への対応が前提条件としてあり、そのための規制強化などの検討は必要とはいえ、日本も研究開発、産業化やそのための制度や支援は必要と考えられます。

(2) Generative AIの用途

Generative AIの用途をまとめると**図表1-7**のようになります。実際に応用が進んでいるのはテキストベースの利用で、人事、マーケティング、営業、調達、研究開発など、バリューチェーンのあらゆる部分に及んでいると言っていいほどです。これらに利用されるアプリやサービスは、スタートアップ企業などが提供しているほか、自社開発しているケース

図表1-7　Generative AIによる生成対象、用途

生成対象	用途（主に社内業務、ビジネス）
テキスト	● ライティング、文章の要約 ● マーケティング、キャッチコピー作成 ● 営業、顧客支援（パーソナライズ） ● 法務支援（リーガルチェック、文書作成） ● 経理、会計支援（データ入力、サマリー） ● 教育、人材育成（AI教師、人事評価） ● 研究開発（探索、シミュレーション） ● 調達（調達先、調達物の探索、評価） ● 音声認識、議事録作成 ● 翻訳、通訳
コード	● コードの生成、修正（プログラミング支援） ● Webやそのためのアプリの作成支援
画像	● 画像生成、編集 ● デザイン ● プレゼンテーション資料作成 ● 音声可視化
動画、3D	● 動画生成、編集 ● 3Dモデル、シミュレーション
音声合成	● 音声合成、作曲 ● 音声クローン

もあります。

　自然言語を正しく理解するのは難しくかつ高度なドメインですが、ChatGPTに代表されるように最も進化が著しい領域です。既に一般的な文章作成は十分可能ですが、モデルが改善されたことで、さらに長文での高品質な文章や、個別の状況を反映した文章作成が可能になり、その結果、さらに広い領域での応用が可能になりつつあります。

　プログラムコード作成については、自動車・化学などの大手製造業で導入や利用が進んでいます。企業内の生産性向上、ITエンジニアの不足といった点で、ビジネスへの影響は大きいと言えます。開発者以外の一般の人がプログラム作成もできるようになることも注目されます。

　画像については、製造業や建築業での設計・デザイン・プレゼン資料の作成などに利用されています。OpenAIのGPT-4において、画像の意味理解などテキストとの関係が強化され、画像を含むマルチモーダル化は一層進むと考えられます。

　動画については3Dモデル作成、映画の動画作成などに一部利用されつつあります。今後は、メタバース、デジタルツインなどの技術との併用で、リアル空間とバーチャル空間がつなげられ、ビジネスへの用途は拡大すると考えられます。

　音声合成技術は比較的早く開発・導入され、Generative AIの利用、マルチモーダル化が進んでいく中で、ビジネス用途はさらに拡大すると考えられます。

1-3
Generative AIの「自社業務への適用」と「ビジネス・事業への拡大」

　前節でGenerative AIの用途を示しました。大きく分ければ「自社業務への適用」と「ビジネス・事業への拡大」に分けることができます。「自社業務への適用」では、組織内外の生産性向上につながる一方で、人が行う業務の削減や業務の変化、結果として雇用の創出/喪失の両面に関与していくと想定されます。「ビジネス・事業への拡大」においては、Generative AIの基盤となるモデルの規模拡大や機能強化により、インターネットやモバイルのように多様なアプリケーションに広がり、大きなイノベーションをもたらすとともに、事業機会が創出されると考えられます。

　「自社業務への適用」は第4章、「ビジネス・事業への拡大」は第3章で掘り下げますが、全体感をつかむために、以下では概論を紹介します。

(1) Generative AIの自社業務への適用

　Generative AIは現在、自社業務への利用が主になっています。既に多くの欧米企業や組織では、自社業務にGenerative AI、特に対話型AIであるChatGPTを活用しています（**図表1-8**）。海外では、2023年3月に公式に発表されたGPT-4が既にかなり利用されていることにまず驚かされます。その領域も、社内のリソース探索、マーケティング、営業、顧客

図表1-8　Generative AIの企業などでの活用事例（OpenAIのChatGPT、GPT-4利用）
出所：ITMAGINATION, "Generative AI: The Future of Enterprise-Scale Business Operations." https://www.
itmagination.com/blog/generative-ai-the-future-of-enterprise-scale-business-operationsより作成

組織名	利用事例、内容	備考（目的、特徴など）
モルガン・スタンレー	従業員の会社知識ベースへのアクセス改善。GPT-4を搭載した内部向けのチャットボット開発	アドバイザーの特定情報効率的発見支援（何十万ページもの投資戦略、市場調査、解説、アナリスト情報が存在）。200人以上の従業員が毎日使用
Stripe（決済プラットフォーム）	カスタマイズサポート、質問への回答、不正行為の検出。GPTをビジネスコーチとして利用し収益モデルを拡大	GPT-4の50の潜在的なアプリケーションを特定し、リストを15の有力な候補に絞り込み
カーンアカデミー（教育関連非営利団体）	GPT-4で、学生向けの仮想家庭教師、教師アシスタントAIの利用と機能強化	生徒との個別かつ詳細な対話を可能にして、より深い学習を促進。GPT-4が教材を作成したり、教師を支援したりする可能性も検討
Duolingo（言語学習プラットフォーム）	GPT-4でAIを利用した会話の練習、間違いに関する状況に応じたフィードバックを提供	学習者の言語学習能力の向上が目的。スペイン語、フランス語で実施、ほかの言語への利用も検討
Quizlet（学習プラットフォーム）	OpenAIと3年間提携し、GPT-3を使用して、語彙学習と模擬試験を強化	6,000万人の学生を抱えるグローバルな学習プラットフォームに、学生の学習の進捗状況に適応したAI
Salesforce	ChatGPTアプリを利用し、AIを活用した会話の要約、調査ツール、執筆支援を提供	CRM向けのGenerative AIであるEinstein GPT発表、OpenAIの技術と統合。Salesforce Venturesは、Generative AIファンドを創成
Instacart（インスタカート）	ChatGPTとInstacartのAI及び製品データを使用して、食品に関する顧客の問い合わせに対し回答を提供	7万5,000を超える小売パートナーストアにアクセス可能。子供向けや嗜好なども含め、パーソナライズされた推奨事項を提供

支援などに及び、一般的な情報源のみでなく社内のリソースを含むデータセットを作成して活用している企業があることも特徴です。

　既に企業内の総務、経営、法務、企画、人材育成、人事などの幅広い部門で利用され、今後はもっと幅広い業務に拡大すると見込まれています。

日本企業の先駆的な事例はパナソニック コネクトです。国内1万2,500人の全従業員に、ChatGPT相当の機能を備えた独自の社内AI「ConnectAI」を提供し、法務・経理などの部門での利用が進んでいます。さらに、パナソニックグループは国内全社員9万人に対して、パナソニック コネクトの「ConnectAI」を改良したAIアシスタントサービス「PX-GPT」を2023年4月から展開しています。(インタビューを含め第4章を参照)

　金融・損保・証券などでは、ChatGPTなどのGenerative AIを自社業務に導入し、活用する動きが拡大しています。さらに、政府や自治体でも定型業務などの業務効率化のために、同様の動きが加速しています。こういった動きは、企業内従業員の人材配置や人材育成、また人材の採用に大きな影響を与えるのみならず、日本の雇用構造全体を変える可能性があります(雇用への影響については第4章を参照)。

　現時点で、海外および日本におけるGenerative AIの自社事業への利用例を機能別にまとめましたので、ぜひ参考にしてください(**図表1-9**)。一部まだ検討レベルの内容が含まれますが、ほとんどが既に実現化しています。

　最も利用が進みつつあるのは、ChatGPTのようなテキストを中心とした対話型のAIの活用で、マーケティング、広告・宣伝、カスタマーサポート、ライティングなどに幅広く利用されています。営業、マーケティング、広告宣伝の領域では、既にGenerative AIは多く利用されています。その内容は、コンテンツ作成、キャッチコピーの提案、商談の評価、コード生成を利用した通販ECサイトの開設支援など多様です。

図表1-9　Generative AIの機能を生かした自社業務への適用例

機能（用途）	概要	事例など
マーケティング	●効果的なマーケティング戦略開発	自然言語処理による、消費者の言語や好みを分析、ターゲットに合った広告を配信
広告、宣伝	●マルチモーダル利用コンテンツ作成 ●コピーライティングへの利用 ●顧客へのパーソナライズ対応	顧客の購買履歴や行動に基づき、個々の顧客に合わせた広告を作成
カスタマーサポート	●カスタマーサポートの自動化 ●顧客へのパーソナライズ対応	自然言語処理を使用した、顧客からの問い合わせを解決するための自動応答システム
ライティング、コンテンツ作成	●文章の作成、チェック ●専門的な文書作成（独自トレーニング） ●多言語間の自動翻訳	記事、商品説明、商品レビューなどのコンテンツ自動作成、チェック。法的契約書の作成、脚本作成
予測、分析	●ビジネスの将来の需要や市場トレンド予測	需要に応じた生産計画、出荷調整などへの応用
コード作成、プログラミング	●コード生成や説明、バグの特定、コードの間違い修正	GPT-3のCodexプログラム（様々な言語でコード生成）。Microsoft GitHub CoPilot（コード生成のGPT-3、GPT-4のバージョン）
画像、動画作成	●レンダリング（データ処理・演算による画像や映像表示） ●プレゼン資料作成	商品の写真の自動生成。映画作成
製品デザイン（開発、設計）	●商品のデザインや機能を自動的に生成 ●ファッションアイテムなどの生成	インダストリアルデザイン、ファッションデザイン、建築設計
アート作成	●ポップな絵画や音楽作成	
ゲーム	●ゲーム音楽、映像、ストーリーの作成	自然言語を使用して複雑なシーンを創出

　コード作成はプログラミングにおいて利用可能で、大手企業でも導入されています。バグの特定や修正も可能で、プログラミングの知識があまりない人でも利用できるようになりつつあります。用途は今まで外注

に頼っていたプログラム業務の内製化が一番考えやすいですが、外販による事業化の可能性も考えられ、また在宅勤務による働き方の変化への影響といった点からも注目されます。

　製品デザイン、設計、研究開発への利用などについては、テキストベースのみでなく画像、動画、音声なども利用することで、事務系のホワイトカラーよりは理系や芸術系の人材での活用が考えやすいです（第6章を参照）。

　いずれにしても、**図表1-9**に示したのは一例であり、実際はGenerative AIの業務適用は現在想定できない広い範囲で進むことは間違いありません。専門家にお聞きしたところ、Generative AIの使い方として以下が有効だと指摘していました。

- 社内など内部リソースの集約（強化学習などでのトレーニング活用）
- アドバイザー、ビジネスコーチ、サウンディングボード、チャットボット
- 専門家支援（調査ツール、執筆、教材作成、会話要約）
- 顧客向けサービス支援（質問回答、カスタマイズ、レコメンド）

（2）Generative AIを利用した新しいビジネスモデル、事業の構築

　Generative AIは技術・事業共に今はまだ黎明期にあり、先行するOpenAIでもまだビジネスモデルは確立していません。Generative AIの応用に当たるアプリやサービスを提供する企業のビジネスモデルは当然未確立です。

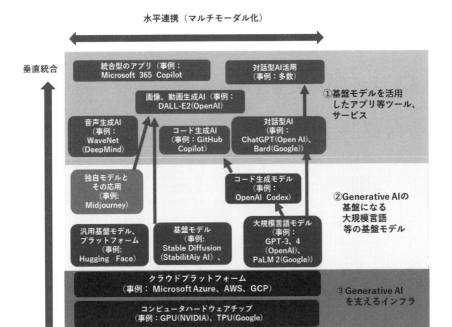

図表1-10　Generative AIの事業、産業構造

　ただし、その方向性が見えてきている部分はあります（**図表1-10**）。大きく分けると、Generative AIを活用したアプリケーション（**図表1-10**①）、Generative AIの基盤となる大規模言語モデル（同②）、Generative AIを実現するインフラ（同③）の3層になります。

　ただし、3層の中でも、①、②は汎用的な部分と専門特化された部分、③はクラウドとチップなど、さらに多層もしくは特性の異なる部分が含まれています。

　現在最も注目されているChatGPTは、図の①に位置付けられますが、

その基盤には大規模言語モデルである②のGPT-3、GPT-4があり、垂直に統合した形での事業になっています。

　図表1-10の①の上層には、汎用的な利用が可能であるChatGPTなどを活用したアプリやサービスがあります。事業ではありませんが、自社内でChatGPTなどを活用するという方向性があります。また、①にはテキストベースのみでなく、画像や動画生成、音楽生成、コード生成などを行うGenerative AIとそれを活用したアプリやサービスがあります。さらに、それらを統合した形でマルチモーダルな製品やサービスを提供することも考えられます。

　これは水平的な統合、連携と言えると思います。例えば、OpenAIはテキストベースのみでなく、画像を生成するDALL-Eも開発しており、さらにMicrosoftとの連携も含め、水平的な展開をしていると見ることができます。

　Generative AIの事業の中核的部分、競争力の源泉となっているのは、②の大規模言語モデルなどの基盤モデルの部分と考えられます。OpenAIの場合は、GPT-3やGPT-4であり、これを用いて対話型AIのChatGPTやコード生成を行うAIを実現しています。実際には、②の基盤モデルにはオープンソースかクローズドかといった相違があります。OpenAIのGPT-3、GPT-4はクローズドな基盤モデルに位置付けられますが、一方でテキスト入力に基づく画像生成が可能なStable Diffusionは、ソフトウエアを構成しているプログラムソースコードを無償で一般公開、オープンソースの基盤モデルに位置付けられます。また、自社で独自に基盤モデルを持ってアプリ開発までを行ったり、GPT-3やGPT-4を活用しつつも、学習させるデータセットで専門化を図ったりするといった方

向性もあります。②→①という垂直展開、垂直連携の方向性は指摘できます。

　図表1-10の①と②はGenerative AIのコア部分であり重要である一方、現状のビジネスモデルはまだ確立しておらず、一般的には収益基盤が弱いと考えられます。特に①の事業は②の基盤モデルに依存しており、アプリ自体がかなり差異化されていないと、収益的に厳しい可能性が高くなります。第3章で示すように多数のスタートアップが存在し、ベンチャーキャピタルの投資も大きいのですが、アーリーステージの企業が多い状況です。

　一方、図表1-10の③には、現状、クラウドプラットフォームやデバイスの事業があります。Generative AIのインフラと考えられるのは、MicrosoftのAzure、GoogleのGoogle Cloud、Amazon.comのAWS（Amazon Web Services）のクラウドプラットフォームで、現段階でも収益性が高く、資本力もあります。この中で動きが目立つのはMicrosoftで、同社はOpenAIと連携し、Bingに統合した検索エンジンを開発してユーザー数を増加させ、さらにオフィスソフトへの導入を進めることで収益性を高め、ビジネスに大きな影響を与えつつあります。MicrosoftとOpenAIは連携することで図表1-10の①〜③に垂直統合した形で事業を展開し、水平方向にも事業領域を拡大しているといえます。

　ここまでの話をまとめ、Generative AIのビジネスモデルを類型化すると図表1-11のようになります。図表1-10③のGenerative AIのインフラ部分に利用されるデバイスでは、NVIDIAのGPU（Graphics Processing Unit：画像処理ユニット）が多く利用され、またGoogleの機械学習デバイスであるTPU（Tensor Processing Unit）も利用されます。NVIDIAの

図表1-11　Generative AIのビジネスモデルの類型化（自社業務での利用は参考として掲載）

類型	概要、事例	参入企業や事業の特徴など
ユーザーが自社内の業務に利用	自社の事業、業務に活用し、生産性向上・効率化、新しい働き方の実現を目指す。将来的に自社モデルの外販などへの展開可能性も考えられる	パナソニック コネクト。自社の国内1万2,500人の全社員にChatGPT相当機能の社内AI導入。それを改良し、パナソニックグループ9万人へのAIシステム導入も進む
基盤モデルを活用したアプリ（図表1-10①）	図表1-10②の基盤モデルを活用するアプリ、サービスなど。対話型の場合、Open A IのChatGPTが代表的。さらに、ChatGPTを活用したアプリやサービス開発、提供が進められつつある。独自の基盤モデルを有し、図表1-10②と垂直統合している例としてJasperがある	アーリーステージのスタートアップ企業が多く収益基盤が明確でない企業が多い（第3章参照）。OpenAIは図表1-10の①と②を実施、さらに図表1-10③を手掛けるMicrosoftと連携し安定した事業基盤を得つつある。Jasperも図表1-10①②を実施。特定のユースケースに適した言語モデルを自動選択し、多様な広告を迅速、効率的に作成
基盤モデル（大規模言語モデルなど、図表1-10②）	オープンソースとクローズドがある。オープンソースではテキストから画像を生成するStable Diffusionがある。クローズドではOpenAIのGPT-3、GPT-4が代表的。GPT-3、GPT-4を活用したコード生成モデルなどもある	大規模言語モデルなどで、特にテキストベースの対話型AIでは重要。画像生成AIなどでも注目企業があるが、スタートアップで、収益基盤はまだ確立されていない企業が多い。中国企業は独自基盤モデルを持つ場合が多く注目される
クラウドプラットフォーム（図表1-10③）	Generative AIのモデルにアクセスするインフラ。MicrosoftのAzure、GoogleのGoogle Cloud、Amazon.comのAWS（Amazon Web Services）などが参入	MicrosoftはOpenAIと連携し、自社製品にGenerative AIを導入。GoogleはGenerative AIを自社で開発して利用（垂直統合、外部連携が重要）
ハードウエアデバイス（図表1-10③）	GPU（Graphics Processing Unit：画像処理ユニット）を提供するNVIDIAが代表的。Googleの機械学習デバイスもある	NVIDIAのシェアが高く、Generative AIの事業では現在最も収益率が高いと考えられる

シェアが高く、またGenerative AI関連の利用が多いため、実はこのカテゴリーは最も収益率が高いという見方もされています。NVIDIAは目立たないながらも、現状ではGenerative AI関連企業の中では最大の勝者との見方もあり、またインフラ的な事業からより上の層の事業に展開することで、ほかの企業の脅威となる可能性もあります。

　以上が現状のGenerative AIの大まかな事業構造であり、Generative AIの機能、利用、市場が拡大するには、現在は事業的に厳しい面があるとはいえ**図表1-10①②**の部分が重要で、今後はスタートアップ企業を含め状況が変わる可能性があります。これらの領域や参入企業は第3章で説明します。

デジタルガレージ 取締役 共同創業者 チーフ・アーキテクト
（以下、敬称略）

ニューラルとシンボリックを両方考える

——伊藤さんには、現在のGenerative AIへの関わり方や、今感じていらっしゃることをお話しいただければと思います。

伊藤：自民党のAIのプロジェクトチームでプレゼンした時の資料*がありますので、ぜひそれをシェアしていただきたいと思います。
※ https://note.com/akihisa_shiozaki/n/n4c126c27fd3d

　まず、OpenAIとHugging Face*とGoogleが3つの重要な選択肢です。Hugging Faceはもともとフランス系のオープンソースです。OpenAIが一番伸びていると僕は思っていますが、Googleの方が怖いという人もいます。
※ 主に自然言語処理を対象にした大規模なオープンソースコミュニティー

　一つの整理の仕方としては、ニューラルネットワークはシンボリックではないので構造的ではなく右脳みたいな感じです。そのため、左脳的なシンボリックなシステム、構造的なデータベースのシステムが必要です。非構造的ニューラルモデルと構造的シンボリックモデルの両方を併せて考えた方がいいと思います。

　OpenAIのチームはニューラルネットワークだけで全部世の中を理解で

き、数学もストラクチャーも分かると言っています。一方で、アカデミアのMITなどではシンボリックで世の中を解決できるという人もいます。僕は短期的には、このシンボリックとニューラルネットワーク両方を併せるのが、右脳＋左脳みたいな感じで一番いいかなと思います。

　8年前ぐらいから、PyTorch（パイトーチ）[※1]とかTensorFlow（テンソルフロー）[※2]のような普通のプログラミング言語ではプログラムしづらかったニューラルネットワークをプログラムできるようになっています（不確実性コンピューテーション：Probabilistic Computation、**図表1-12**）。

※1　コンピュータービジョンや自然言語処理で利用されているTorchを基に作られたPythonのオープンソースの機械学習ライブラリ
※2　Googleが開発しオープンソースで公開している、機械学習に用いるためのソフトウエアライブラリ

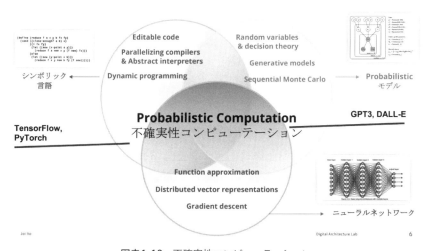

図表1-12　不確実性コンピューテーション
（自民党のAIのプロジェクトチームでシェアした資料の一部）
出所：伊藤 穰一、「AIの進化と日本の選択肢」(https://note.com/akihisa_shiozaki/n/n4c126c27fd3d、Vikash K. Mansinghka, Probabilistic Computing Project, MIT.http://probcomp.csail.mit.edu/による)

今僕が個人的に一番興味を持っているのは、この3つを併せた、シンボリックで、Generativeで、ニューラルネットワークの不確実性コンピューティングというもので、個人的にはそれらをバランスを取ってやっていくべきと思います。

　ニューラルネットワークはどうしてその出力になったのか説明もできないし、結構大きなデータをオフラインでやらなければいけないので、解析可能な構造的なシステムをちゃんと構築すべきと思っています。

米国のプラットフォームに乗っかる日本のモデルを作るべきだ

　ニューラルネットワーク系の大規模言語モデルは間違いもするけれども、トランスレーションにはすごくよく適しています。僕はこの構造的なシンボリックなAIの言語を、ニューラルネットワークによるNLM（ニューラル言語モデル）を使って書いて、それをアウトプットするという両方を行っています。人間とのインターフェースはニューラルネットワークが良く、データとか構造的なシステムとのインターフェースはシンボリックが良く、両方併せた方がいいというのが、最近僕が言っていることです。

　そしてその大型言語モデル※に追加して、僕はLPMと呼んでいるLarge Population Models、もっと構造的データを作るべきと思います。日本はそのデータベースのモデルとシンボリックのモデルをやるべきで、そうしないとOpenAIとかに勝てないと思います。
※ 大規模言語モデルのことで、大量のテキストデータを使ってトレーニングされた自然言語処理のモデル

　クラウドとか検索とかOSの時もそうでしたが、日本が競争していつも負けるのは間違ったレイヤーを狙っているからだと思います。仮説です

が、何兆円かけてコンピューターを作って、そのうえで大言語モデルを考えて、そこからまたコンテンツで競争するというより、OpenAIとかGoogleとかHugging Faceのシステムの上に、僕らのモデルを作るべきであると思います。向こうは向こうで今彼らのファンデーションモデル※を作っていますが、僕らもその上にほかのモデルを作ってそれを接続するとか、別のデータを使うとか、彼らのシステムの上でやるべきと思います。

※ 人工知能（AI）が言語や画像の大規模なデータを使って訓練する基盤モデル

　僕はコンテンツだとかモデルのレイヤーで競争するので、やはりガラパゴス化よりも米国のプラットフォームに入っていくべきだと思います。Googleがブルーオリジン（Blue Origin）※1で、OpenAIがスペースX（SpaceX）※2とすると、SpaceXと日本のJAXAは競争できず、SpaceXの上にJAXAが乗っかって新しいものにすべきだと思います。

※1 Blue Origin（LLC）は、Amazon.comの設立者であるジェフ・ベゾスが設立した航空宇宙企業
※2 Space Exploration Technologies Corp.（通称SpaceX）は米国の航空宇宙メーカーで、宇宙輸
　　送サービス会社で、衛星インターネットアクセスプロバイダーでもある

　特化されたすごく狭いNLMを日本が作るというのはありだとは思いますが、ジェネラルな大規模言語モデルを今から作るのは、人材もいないし、個人的には無理かなと思います。

　日本の有識者のなかには、日本がコアのところで競争力をつけるべきだと考えている人もいます。リサーチはすべきで、次の世代のAIとかいろいろあるとは思います。

　僕はどちらかいうと、不確実性（Probabilistic）コンピューティングのシンボリックなところのコンピューターサイエンスと、ポピュレーションモデルと、米国のプラットフォームに乗っかる日本のモデルを作るとい

うのが正しいと思っています。

GPT-4は間違いもするが、生産性は大きく向上する

　GPT-4を使っていますが、今の大規模言語モデルは間違いをします。ちょっといじれば直りますが、10回プログラムを書かせて、そのままでは10回ともちゃんと動きません。

　この間論文が出て、分かっている人でも分かっていない人でも、プロダクティビティーはすごくアップし、特に分かっている人のプロダクティビティーはすごく上がります。

　あとは、リアルタイムではないので、どの電車が今どこにいるかとか、どのお店がいっぱいかとか、自分の購買歴を見て何かレコメンドするとか、それは今のNLMではできません。ただ、こうしたことはいずれ全部できるようになるとNLMの人たちは言っています。

　この1〜2年の間で弁護士の数は少なくなるかもしれませんが、一人ひとりの弁護士のプロダクティビティーは圧倒的に高くなります。プロデューサーにしてもライターにしても、そのプロダクティビティーの向上によって、できることもすごく変わってくると思われ、それはすごく面白いところです。それを使わせない学校とか、バトルしてやらない弁護士だとか、そういうのは結構難しいポジションになってくると思います。

　NLMのモデルに入ってないと、その分野は理解されないので使えません。僕はこの前、GPT-4に日本の茶道の話を聞きましたが、回答はちんぷんかんぷんでした。恐らく彼らのモデルにちゃんと茶道の文書が入っ

ていないからだと思います。日本人の文脈で何かやろうとしても、日本の情報や日本語が入ってないと、その部分に関しては駄目ですね。

　日本の競争力から考えると、日本にいるいろんなプロフェッショナルが本当にプロダクティビティーを向上させるには、OpenAIなりGoogleのモデルに日本のことがちゃんと入ってないと、日本だけ後れを取ってしまい、その方がコストは高いと思います。

　Generative AIに関するベンチャーの収益性には疑問もあります。ベンチャーキャピタリストの視点から考えると、既にビジネスを進めているトヨタとかホンダ、Salesforceは、Generative AIを通じてすごくバリューアップします。ただ、中途半端なAIベンチャーは、Generative AIのプラットフォームを自分たちで構築してしまいます。実際にデータ、顧客を持っていて、物を作っているところはGenerative AIで強くなるものの、既にビジネスを進めているところとGenerative AIのプラットフォームの間をつなぐベンチャーの事業は、そんなにうまくいかないと思います。

　ベンチャーキャピタリストがweb3からAIに切り換えると言っていますが、僕はそのAIのベンチャーキャピタルは本当にもうかるのかなと疑問視しています。もちろん、もうかるところもあると思いますが、皆が騒いでいるほど、今のこのNLMの構造の中ではおいしくないのではないか、というのがもう一つの仮説です。

――伊藤さんがおっしゃっていることにはすごく同感で、なかなかその中間レイヤーは商売の仕方が見つけにくいと思います。そこは、メタバースとかWeb3とか今いろんなサービスの可能性があって、クリエーティブエコノミーができたり、新しい働き方が効いてきたりする気がします。ただ、AI

の部分に限っては何かそういうイメージは全くないんです。おっしゃっているように、プロダクティビティーの向上がど真ん中に来て、AIとどう付き合っていくのか、仕事の生産性や効率をいかに上げるかが、重要と思います。

GPT-4による生産性向上は、新市場開拓にもつながる

——Generative AIによって、これまでの仕事のやり方とか、会社の組織のあり方とか、何か大きく変わっていくんじゃないかと不安に思っている方がいると思います。

　データを持っている人たちにどういうビジネスモデルを提供するか、どういうツールにどういう形で組み込ませていくのかなどがこれから決まり、それによって、今の普通の会社がどういう構造で働いていけるかが決まってくると思います。恐らく、この1カ月以内には出てくると思います。一番心配しているのは、どの業界だと思いますか？

——どこなんでしょうね。僕は今コンサルティングファームに在籍していますが、コンサルティングファームや会計監査法人は、相当影響があり新しいバリュークリエーションが必要になるのではないかと思います。既に対応する大きな動きも始まっています。

　プロンプトエンジニアリング（Prompt Engineering）*じゃないですが、コピペだけしている人たちはあんまりいらなくなる一方、プロダクトマーケットフィットのあるものをやっている人は、プロダクティビティーがすごく上がるので、もっと稼げるようになると思います。コンサルティングでも、アウトプットを増やせるし値段も下げられるはずです。逆に言うと、本来あるべきなのは、社会全体のプロダクティビティーが上がって、

そのプロダクティビティーの向上に各レイヤーがちゃんと機能している
状況です。

※ AI（人工知能）による思考を人間が助けることで、様々な質問に答えられる最新AIの「巨大言語
　モデル」は、質問の仕方を工夫するとAIによる回答の質が変わるため、この工夫をプロンプトエ
　ンジニアリングと呼んでいる

　だから、日本としてこなすもののバーがすごく上がって、そのバーに
届くために、コンサルティングの量は3倍ぐらいになります。本来であ
れば、プロダクティビティー全部が向上し、もっとグローバルに売れば、
利益ももっと出るはずで、パイがより大きくなり、組織をスリムにしなく
ても存在意義を出せるかなと思います。

　全く価値がないことを今までのようにパッケージにして売っていたら、
そういう人たちは、ばれちゃうかもしれません。今のところは、アソシ
エートを使って何かリサーチさせて返ってきたもの、それをいじるよう
なポジションの人たちは、ますます忙しくなるはずです。

　何でも理想と現実はちょっとずれていて、コンサルがサポートしてい
るそのお客さんのレイヤーのプロダクティビティーがどのタイミングか
で向上するので、タイミングのずれによってキャパが足りなくなる可能
性あるとは思います。

　だから、常に僕は人を削減するというよりも、みんなにAIを使っても
らってプロダクティビティーを向上させ、プロダクトも良くして、それを
どういう新しいマーケットに向けるかというトップラインを拡大する戦
略の方が正しい気がしています。

　プロンプトエンジニア関連の人は少なくて、米国でも何千万円でジョ

ブオファーとかが出ているみたいで、だからみんなにAIを早く使わせて、新しい仕事のやり方を考えるのがまず短期的な課題だと思います。中長期的には、こういうやり方もあるとか、こういうビジネスモデルがあるからコンサル会社がモデルを作って何かやるとか、そのモデルを作るためにいろんなクライアントを集めてパッケージをするとか、そうしたことがあり得ると思います。

　それからGPTみたいなNLMをインターフェースにしたい、ちょっと違うデータのモデルを考えるとか、AIを使ったビジネス開発が必要です。そうすると、AIリテラシーがあるチームを社内で持つかどうか、という感じだと思います。

──おっしゃる通りだと思いますね。クライアントの要求は、毎年毎年プロジェクトを短く、成果を早く出したいという希望が高まっています。そういう意味ではこういったAIを使っていくとロケットスタートができます。アジャイルにうまく回していかないと、資料を作っている人たちは忙殺されます。そうしたところにAIを入れてしっかり回していく。アジャイルにやる良さは、完璧なものでなくても9割ぐらいの確からしさでどんどん回していくことで、プロジェクトのスピード自体は速くなりますから、そういう意味ではすごくマーケットフィットしている感じはします。

　日本のホワイトカラーのプロダクティビティーは意外に低いから、それに対してAIはプラスなのか、文化的にプロダクティビティーの向上を日本は求めてないか、そのあたりはちょっと僕も分からないですが、面白い重要なポイントかなと思います。

　バリューアップしようと頑張っている人はすごくいいけど、バリュー

アップしないで誰にもばれないようにしていた人は厳しいかもしれないです。でも、リレーションシップとかそういうビジネスの構造は重要なので、それはそれでまだ必要だろうとは思います。

　今までの技術を見ていても、最初のインパクトは大きくて、この1〜2カ月で一般の人にはすぐに影響が及ぶでしょう。ただ、中長期は意外と難しいかもしれません。例えば、自動運転を見ると最後の20%が実はすごく難しくて、結局一般道ではフル自動になっていません。このままのアーキテクチャーでは進められない、テスラが今作っている新しいスーパーコンピューターなら大丈夫など、いろいろな議論があると思います。

最適化のみでなく、新しい倫理形成、課題対応へのAI活用が必要

　GPT-4を実際に使うと、最初はすごくびっくりしますが、一日中飽きもせずに使っていると、そのうち普通になってしまいます。何でもそうですが、最初の数日間はマジックと感じても、途中からそれが当たり前のように感じてしまい、思ったほどではないなと感じることがあります。一方で、1週間に1回は「あ、こんな使い方があるんだな」という発見もあります。

　ただ、GPT-4はGPT-3よりはものすごく進化していて、マルチモーダルで絵を見せると理解するので、結構すごいといえます。それはそれで、今までのテキストオンリーとかのMidjourney[1]やDALL-E[2]と比べて、使い道はすごく増えると思います。だから、製造業や官僚は本当にもっと使うべきで、いろいろな使い方があると思います。

※1 テキストの説明文から画像を作成する独自の人工知能プログラムで、また同プログラムを開発

している独立した研究所の名称でもある
※2 テキスト入力から画像やイメージを作成する、OpenAIによって開発されたAIツール

――伊藤さんは、AIが進化した未来はどのようになるとお考えですか。

　まず、AIは人間の代わりになるスーパーインテリジェンスではなくて、人間をオーグメント（augment、強化）していくものと思っています。

　これまでは最適化のAIに注力されてきたけれども、やっぱり人間社会は最適化ではありません。それこそ、国会答弁ではないけれども、国民・人間として今どう思っていて、倫理とか感覚で、それをどうやって形にしていくかはすごく重要です。AIはサポートしてくれますが、予測（prediction）とか最適化のためのAIと、ちょっと違うAIが必要です。これは今ちょっとずつ不確実性コンピューティングとか、脳の研究から出てきていて段々形になり、それと今の最適化のAIがコンバインしていくと思います。

　どういう世の中になってほしいのか、それを法律とか倫理も含めて日本でポリシーをつくっていくべきです。そのポリシーをちゃんとプログラム化し、AIをマネジメントしていくことが重要です。これを米国のテック企業や欧州の政府ではなくて、日本の国民として何をしていいのか駄目なのかというルールを決めて、そのルールをAIに守らせるアーキテクチャーが重要です。ここは議論がまだまだ必要です。

　僕は客員でハーバード大法学部、MITエンジニアリングの授業で倫理をずっとやっていて、そこが根っこです。日本は理系と文系を分けていることもあり、技術と法律と政治を分かっている人は少ないのですが、

ここの対話は一番重要だと思います。

　もちろん、技術のリサーチは必要ですが、AIが来ると世の中はどう変わりそうか、その中で僕らは何をしてほしいのか、どうやってそれをAIに対して表現し、AIをどうやって日本の日本らしさにプラスに働かせ、未来にちゃんとレスポンシブな新しい倫理をつくっていくのか。例えば、環境問題とか、貧富の差とか、新しい問題がいっぱいありますが、それに対して、政府とか政治も高度成長の時期から最適化ばっかりやっていて、いろいろトラブルがあります。だから、今の若い子、今の文脈で、新しい倫理をどうやってAIに理解させるか、それを国でやっていかないといけないというのが一番の課題だと思います。

―― 多くの示唆をいただき、ありがとうございました。伊藤さんから頂いた提案をまとめた図を掲載しておきます（**図表1-13**）。

1　OpenAI、Google、Huggingfaceと提携 - 日本LLMではない 米国技術のコア基盤技術の上に、安全性と規制を担当する日本チーム

2　LPMを中心に日本の学会と産業界でモデルとシステムの開発、実事業を強化

3　不確実性コンピューティングによる合成データを用いてプライバシー保護を確保するDFFT ※

4　技術、法律、経済、社会が分かる制作チームを形成しAIと倫理をリアルタイムで研究と規制を行、DFFTに文脈に技術的な視点をもっと導入

※ DFFT（Data Free Flow with Trust：信頼性のある自由なデータ流通）とは、プライバシーやセキュリティ、知的財産権に関する信頼を確保しながら、ビジネスや社会課題の解決に有益なデータが国境を意識することなく自由に行き来する、国際的に自由なデータ流通の促進を目指す」というコンセプト

図表1-13　Generative AIに関する伊藤穰一氏からの提案
出所：伊藤穰一、「AIの進化と日本の選択肢」(https://note.com/akihisa_shiozaki/n/n4c126c27fd3d)

第2章 | Generative AI技術とその応用

2-1
Generative AI技術の概要

　Generative AIもAIの一種であり、AI全般に関わる技術を含んでいます。**図表2-1**は、1980〜2021年のAI全般に関する研究論文の件数を示しています。1980年代以降、AI研究の焦点は機械学習（Machine learning）関連です。特に2015年以降は研究論文の件数は急増し、既に広い分野で実用化が進んでいます。次いで多いコンピュータービジョン（Computer vision）は、画像認識、画像取得などの技術で、特に自動運転技術の重要

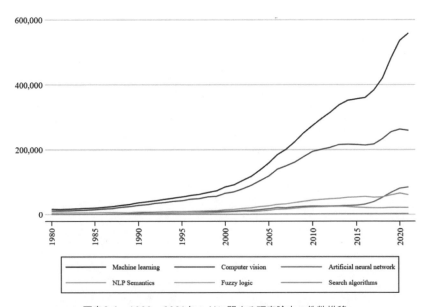

図表2-1　1980〜2021年のAIに関する研究論文の件数推移

出所：THE WHITE　HOUSE, 2022, "The Impact of Artificial Intelligence on the Future of Workforces in the European Union and the United States of America"（https://www.whitehouse.gov/cea/written-materials/2022/12/05/the-impact-of-artificial-intelligence/）

性が高まって件数が増加しています。次いで、ニューラルネットワーク（Neural network）、自然言語処理（NLP）などの件数が多くなっています。

　Generative AI関連の主要技術を**図表2-2**にまとめます。Generative AI関連の主要技術で最も重要なのは深層学習（ディープラーニング）で、トランスフォーマーや深層生成モデルに関する技術もその中に含まれます。

　テキスト生成関連では、さらに自然言語処理、大規模言語モデルが重要です。画像生成では、拡散モデルが最も重要で、画像とテキストを関係付ける技術も利用されます。音声生成でも深層学習モデルが重要です

図表2-2　Generative AI関連の主要技術

分類	技術	技術概要	備考（用途など）
深層学習（ディープラーニング）	CNN（Convolutional Neural Network）	畳み込みという操作を加えたニューラルネットワーク	画像・物体認識などに利用
	RNN（Recurrent Neural Network）	時系列データを処理するためのニューラルネットワークの一種	自然言語、時系列データ解析、音声認識に利用
	トランスフォーマー（Transformer）	RNNやCNNを使わずに、アテンション機構のみで構成した深層学習モデル	長い文章でも、より自然で、より高品質の文章を生成
深層学習（深層生成モデル）	GAN（Generative Adversarial Networks）	GeneratorとDiscriminatorを競わせながら学習することで、精度の高い画像を生成	主に画像生成に利用
	VAE（Variational Autoencoder）	変分オートエンコーダ。AIの学習用データから特徴を学び、似ているコンテンツを生成	主に画像生成に利用
	拡散モデル（Diffusion Model）	学習用の画像にノイズを追加したうえで、その画像からノイズを除去していき、元画像を復元	主に画像生成に利用

（次ページに続く）

分類	技術	技術概要	備考 (用途など)
テキスト生成関連関連	自然言語処理	自然言語をコンピューターが理解し、処理するための技術	トレーニングデータに基づき文章生成、翻訳、要約などへ活用
	大規模言語モデル	● 単語の出現を確率的に表現 ● 事前学習をし、後続タスクに使用 ● 膨大なデータの学習により、単語の位置関係や文法規則、言い回しや文脈などのルールやパターン、知識を獲得	● OpenAIのGPT、GoogleのBERTなど ● GPTはGPT-4まで進化し、ChatGPTなどへ活用
画像生成関連	画像生成AI	拡散モデルが多く利用される	Stable Diffusion、Midjourney、DALL-E2が利用
	画像認識AI	画像とテキストの関係性を判断	OpenAIのCLIPが代表的
音声、音楽生成関連	音声生成AI	RNNや、ウェーブネット (WaveNet) などの深層学習モデルの活用	WaveNetはスマートスピーカーなどへ利用
	音声合成、サンプリング技術	テキストから音声を合成、既存の音声データから、新しい音声を生成する技術	音声ナビ、音声ガイドなどへの利用
その他の共通基盤技術	コンピュータービジョン	コンピューターが画像やビデオを処理し、理解、また画像生成などを行う技術	画像生成、修復、スタイル変換、３Dオブジェクト生成
	GPU、AIチップ	大量のデータの学習、学習時間の短縮化	NVIDIAのGPUが多く利用される

が、テキストから音声を合成したりサンプリングしたりする技術も利用されます。

　さらに、共通基盤技術の中では、ディープラーニングなどに利用される大量のデータを処理するGPUも汎用性が高い技術です。コンピュータービジョン技術は、画像、動画、3D関係で重要な技術になります。

以下、(1) 機械学習、深層学習 (ディープラーニング)、(2) 自然言語処理技術、トランスフォーマー、(3) 大規模言語モデルとその利用、(4) 音声生成技術とその利用、(5) 画像生成技術とその利用、(6) 動画生成技術と利用方法の順に、概要を示します。

(1) 機械学習、深層学習 (ディープラーニング)

コンピューターに大量のデータを学習させて精度の高い判断をさせる機械学習は、現在の第3次AIブームのきっかけをつくるものでした。しかし、人間が学習項目、特徴量を設定させる必要があり、また画像や音声などの非構造化データを識別させることが難しいものでした。

ディープラーニングは、この限界を超え、人間が特徴量を設定しなくてもコンピューターが設定し、画像や音声などの非構造化データも扱いやすくなりました。結果として、画像認識や自然言語処理が行いやすくなり、Generative AIの登場につながりました。

ディープラーニングの基となる技術は、「ニューラルネットワーク」による脳の神経細胞を模した機械学習モデルです。ディープラーニングによりGenerative AIのコアテクノロジーになる自然言語処理、画像認識、音声認識も可能になりました (**図表2-3**)。

ディープラーニングにおいても多様な手法が開発されましたが、Generative AIにおいて重要なのは画像・物体認識でよく利用される畳み込みニューラルネットワーク (CNN) と音声認識でよく利用される回帰型ニューラルネットワーク (RNN) です。CNNを用いた画像認識の能力は、2015年には人間を超えたといわれています。また、RNNは自然言語、時

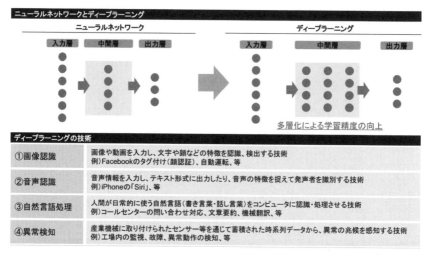

ニューラルネットワークとディープラーニング		

ニューラルネットワーク　　　　　　　　　　　ディープラーニング

入力層　中間層　出力層　　　　　　入力層　　中間層　　出力層

多層化による学習精度の向上

ディープラーニングの技術	
①画像認識	画像や動画を入力し、文字や顔などの特徴を認識、検出する技術 例)Facebookのタグ付け(顔認証)、自動運転、等
②音声認識	音声情報を入力し、テキスト形式に出力したり、音声の特徴を捉えて発声者を識別する技術 例)iPhoneの「Siri」、等
③自然言語処理	人間が日常的に使う自然言語(書き言葉・話し言葉)をコンピュータに認識・処理させる技術 例)コールセンターの問い合わせ対応、文章要約、機械翻訳、等
④異常検知	産業機械に取り付けられたセンサー等を通じて蓄積された時系列データから、異常の兆候を感知する技術 例)工場内の監視、故障、異常動作の検知、等

図表2-3　ニューラルネットワーク、ディープラーニングの概要
出所：日本政策投資銀行、東京大学松尾研究室「ソフトインフラレポート〜DXの本質と産業変革に向けた提言」
（https://www.dbj.jp/upload/investigate/docs/7ba43732d18265cda516c88b6c56ea03_1.pdf）

系列データ解析、音声認識に利用されます。

　一方、研究の世界では、深層生成モデル（Deep Generative Model）として、2014年ごろから画像データや音声データなどを生成できるモデルの開発が進められました。

　画像生成、音声生成AIに関しては、テキスト生成AIとは異なる経緯で発展してきました。深層生成モデルのうち、GAN（Generative Adversarial Networks）やVAE（Variational Autoencoder）は、高精細な画像生成が可能で、さらに改良・機能追加が行われ、画像や音楽の生成を中心に用途が考えられています。

　2014年に開発されたGAN（Generative Adversarial Networks）は、ゲー

ムのような設定で2つのネットワークを互いに戦わせて新しいデータを生成でき、人間の観察者をだませるほどリアルな画像や動画作成が可能になりました。

　また、VAEは変分オートエンコーダと呼ばれ、AIの学習用データから特徴を学び取り、そのデータの特徴を基に学習用データと似ている新しいコンテンツを生成することができます。

　さらに、画像生成AIの発展に大きな影響を与えたのが、2015年に最初に提案された拡散モデルです。拡散モデルでは、学習用の画像にノイズを追加したうえで、その画像からノイズを除去していき、元画像を復元します。拡散モデルを活用することで、GANよりもさらに高解像度な画像を生成することが可能になり、画像生成系AIとして2021年以降広く利用されることになったStable DiffusionやDALL-E2で採用されています。2022年夏に公開されたStable Diffusionでは、人間が多くの労力をかけて描いたような絵を数十秒から数分で作成できるようになりました。

　ただし、ディープラーニングは人間が学習の方向性や内容などをコントロールできず、ブラックボックス化という問題があります。そのため、近年では説明可能なAI（eXplainable AI：XAI）という概念が注目されています。

　また、ディープラーニングはコンピューターが特徴量を設定しなくてよいといっても、一般に学習用のデータを数万から数十万のセットの規模で準備する必要があり、その多くは手作業で実施されます。

(2) 自然言語処理技術、トランスフォーマー

　自然言語処理は、コンピューターが自然言語を理解し、処理するための技術です。自然言語処理においては、テキストデータから情報を抽出したり、文章を分類したり、言語生成したりするタスクがあります。AIにおける自然言語処理は、数十年にわたって進化を遂げてきました。

　1990年代には、機械学習が急速に発展し、自然言語処理にも適用されるようになりました。特に、ニューラルネットワークを用いた自然言語処理の研究が進みました。2000年代には、大量のテキストデータを扱うことが可能になり、機械学習による自然言語処理の性能が向上しました。また、多言語処理や対話システムなど、新たなアプリケーションが研究されました。2010年代以降はディープラーニングが普及し、ニューラルネットワークを用いた自然言語処理が大幅に進歩しました。特に、大規模なプレトレーニング済みモデルの登場により、自然言語処理の精度が大幅に向上しました。

　2010年には、Googleが「オートコンプリート」機能を導入、機械学習アルゴリズムを使用してユーザーが入力しているものを予測し、文を完成させる方法を提案しました。また同年、Appleは自然言語のクエリーを理解する音声アシスタント「Siri」を導入しました。2015年にAmazon.comは、自然言語のクエリーに応答できる音声アシスタントAlexaを発表、自然言語処理のマイルストーン達成に大きな役割を果たしました。

　現在の自然言語処理技術は、音声認識、機械翻訳、感情分析、情報抽出、対話システム、自然言語生成など、多岐にわたるアプリケーションに応用されています。自然言語処理技術はGenerative AIの性能向上に寄

与し、また自然な文章の生成といったGenerative AIの進化が自然言語処理技術の向上にも寄与しています。

　2017年には、Googleが深層学習モデルであるトランスフォーマー（Transformer）を発表しています（**図表2-4**）。トランスフォーマーはもともとニューラル機械翻訳用のモデルとして開発され、単語や文字を逐次的に処理する際に、注意機構（Attention）という仕組みによって効率を上げています。注意機構は、ある単語と、その文中のすべての単語との関係の強さを効果的に学習し、長い文章でもより自然で、良い高品質の文章が作成できることが報告されています。

自然言語処理の流れ (文章翻訳の一例)

① アノテーション
テキストデータを用いて、翻訳元言語のデータを入力し、翻訳先言語のデータを答えとした学習用データセットを準備

② 学習
①で作成したデータセットをモデルに取り込み学習

③ 学習済みモデル完成
テキスト形式のデータを学習するのに適した仕組み（下記）等を利用

④ モデルによる予測
入力したテキストデータを、対象となる文章に翻訳されたテキストとして出力

Transformer

- 「Transformer」とは、2017年中旬にGoogleが発表した論文「Attention is all you need」で提唱された深層学習モデルであり、主に自然言語処理分野で使用される
  - BERT、GPT-3 等、近年に開発された精度の高い自然言語処理モデルにおいて採用されている中核部分の仕組み
  - 特に、機械翻訳の精度は「Transformer」によって大幅に向上
  - 近年では、画像認識などでも活用
- 従来のモデルと比較して、文章内における単語間が持つ関係性の推測を高精度に行うと同時に、学習にかかる時間を削減できる
  - 従来のモデルは、単語の順番で処理を行う必要があり、計算を並行化しにくいため、GPUなどのハードウェアの負担も大きく、精度を向上させるのが難しい

我是学生

Encoder	→	Decoder
Encoder		Decoder
Encoder		Decoder

私は学生です

従来のモデルのように単語が出てきた順番に計算するのではなく、並列化での処理が可能

図表2-4　自然言語処理の技術

出所：日本政策投資銀行、東京大学松尾研究室「ソフトインフラレポート〜DXの本質と産業変革に向けた提言」
（https://www.dbj.jp/upload/investigate/docs/7ba43732d18265cda516c88b6c56ea03_1.pdf）

（3）大規模言語モデルとその利用

①概要

　ディープラーニングと自然言語処理により、文章を生成する Generative AIの基盤ができました。しかし、学習用のデータを数万から数十万セットの規模で準備する必要があり、かなりの部分は手作業で行われています。この課題を克服したのが、大量のテキストデータで訓練され、多様な個別タスクに対応できる「大規模言語モデル」です。一般に言語モデルとは、単語の出現を確率的に表現できるもので、入力した文章を要約したり、ほかの言語に翻訳したりするなど、言葉を扱う様々なタスクに使われます。大規模言語モデルでは、膨大なデータの学習により、文章中の単語と単語の位置関係や文法規則、よく出る言い回しや文脈など、文章を成り立たせているルールやパターン、知識を獲得していきます。

　2018年6月にはOpenAIがGPTを、同10月にはGoogleがBERTという言語モデルを発表し、自然言語処理のベンチマーク評価で、人間の精度を超えたレベルに達しました。GPTとBERTは、大量学習による「事前学習」と、比較的少量のデータによる「再学習（ファインチューニング）」という2段階の学習を行う特徴があります。

　「事前学習」では、WebページやSNS、書籍からのテキストデータで、文章の記憶、単語や文脈の理解によりモデルの能力を高めます。一方の「再学習」は、AIを使う目的に応じて学習し、文章の要約、専門文書の処理、ChatGPTのような質問への回答などができるようになります。

　GPTは、テキストを与えられた後、首尾一貫した自然言語を生成でき

る深層学習ツールで、800万のWebページを学習し、機械が人間の言語を理解し、人間のような応答を生成できるようになりました。GPT-2は、40GバイトのWebページで構成されるより大きなデータセットでトレーニングされました。

　2020年にリリースされたGPT-3は、570Gバイト以上もの文章（コーパス）と1,750億個ものパラメーターからなる大規模言語モデルで、GPT-2より語彙が多いため、より複雑な言語を理解でき、トピックから外れた応答を生成する傾向がないのが特徴とされています。GPT-3は、Webの大きなデータ（4兆単語）で事前学習し、1,750億パラメーターで、学習に数億〜数十億円のコストがかかるとされています（**図表2-5**）。

　2021年3月時点で、300以上のアプリケーションが「GPT-3」を活用しており、毎日45億語を生成したとされています。

図表2-5　GPT-3の登場
出所：松尾豊「AIの進化と日本の戦略」(https://note.com/kanerinx/n/nf391fdf16532)

2023年3月に発表されたGPT-4は、さらに大きなデータセットでトレーニングされ、司法試験で上位10%に入るレベルにまで成長、マルチモーダル（画像からテキストなど）が可能になりました。画像のおかしな部分の解釈、面白い画像を理解して説明、チャートの推論が可能、OCRで論文の画像などの要約といった機能も注目されています。また地道なところで、間違いの低減、日本語の精度向上、危険な回答の低減なども性能が向上し、想定される用途が拡大しています。

GPT-3とGPT-4の情報源の詳細は不明ですが、Wikipedia、オンラインニュース、科学論文などで、基本的には公表情報が中心とみられます（**図表2-6**）。

図表2-6　GPT-3（3.5）とGPT-4の比較

項目	GPT-3.5	GPT-4
機能	● 自然言語生成による文書作成	● 自然言語生成による文書作成 ● 画像入力による文章生成
最大トークン数（文字数）	2,048 （5,000文字）	3万2,768 （約2万5,000文字）
利用している情報源（データセット）	● WebText（Webページから抽出されたプレーンテキストのデータセット） ● Wikipedia（英語版の全ページを含んでいるとされるデータ） ● Commom Crawl（インターネット全体をクロールして収集したデータセット） ● News（オンラインニュース記事のアーカイブ） ● BooksCorpus（多数の書籍からなるデータセット） ● Scientific Papers（医学、物理学、その他の科学的分野の論文）	
その他の特徴（GPT-4）		● 司法試験に上位10%で合格できる能力 ● 画像のおかしな部分の解釈 ● 面白い画像を理解して説明 ● チャートの推論が可能 ● OCR（光学文字認識技術）でPDFや論文の画像要約 ● 日本語の精度向上 ● 危険な回答の低減

なお、大規模言語モデルでは、データを増やし、計算能力を増やし、パラメーター（モデルの容量）を増やせば、精度がどんどん上がる「スケール則（scaling law）」があります。AIが予想外の能力を開花させることを創発（emergent）と言い、「突然これまで不可能だと思われていたタスクをこなせるようになること」を意味し、大規模言語モデルを研究する専門家の間で、大規模言語モデルの創発が話題となっています。

一方、大規模言語モデルは、多大な計算リソースを必要とするため、訓練や推論には高性能なハードウエアやクラウド環境が必要で、必要な費用も多額になります。

大規模言語モデルは高度な自然言語処理タスクも実現できるため、今後も注目される分野と考えられます。

②ChatGPTについて

ChatGPT（Generative Pre-trained Transformer）は、OpenAIが公開したチャットボットで、人間の発話（作成文章）に対し、AIが答えを返すことで対話を行うことが可能です。

2022年11月30日にプロトタイプとして公開され、幅広い分野の質問に詳細な回答を生成できることから注目され、ChatGPTのリリース後、OpenAIの評価額は290億ドルとなり、2021年時の140億ドルと比べて2倍以上に増加しました。

ChatGPTは、**図表2-7**に示すような複数の方法の組み合わせで学習しています。データセットの品質改善や強化学習を取り入れることで従来のモデルの課題を克服し、まるで人間と会話しているかのような自然な

Step 1: 教師あり学習

- プロンプトとそれに対する適切な回答のペアをアノテーター（人間）が考案し、データセットを作成する
- このデータセットを用いてGPT-3.5モデルをファインチューニングする

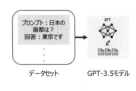

データセット　　GPT-3.5モデル

Step 2: 報酬モデルの学習

- プロンプトに対するstep1で学習させたモデルの回答を複数パターン用意し、アノテーターにその中で良いものはどれかの順位付けをしてもらう
- 順位付けデータセットを用いて報酬モデルを学習させる
  - 回答の順位付けを予測するタスクを解かせる

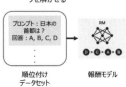

順位付け　　　報酬モデル
データセット

Step 3: 強化学習

- Step1/2で学習させたGPT-3.5モデルと報酬モデルを用いて、強化学習を実施する
  - 報酬が最大になるような方策を探索し、最適な回答を生成する

モデルの回答に対して報酬値を推計し、それをモデルにフィードバックすることで方策を改善していく

図表2-7　ChatGPTの学習方法
出所：松尾豊「AIの進化と日本の戦略」(https://note.com/kanerinx/n/nf391fdf16532)

文章が生成できるようになりました。また、「再学習（ファインチューニング）」を行うことで、会話ならではの砕けた表現などでも正しく意味を理解するほか、有害なテキストを生成しないようにしています。

　ChatGPTのユースケースは、GPTのバージョンアップ、機能向上、新たな試みにより拡大しており、今後間違いなく一層拡大すると考えられます（**図表2-8**）。

（4）音声生成技術とその利用

　音声生成技術とその利用については、AI研究開発の初期から徐々に進展してきました。

①1990年代までの音声生成技術

　1950年代と1960年代のAI研究の初期から、研究者は単純なテキストや音楽を生成できるコンピュータープログラムを開発し始めました。

図表2-8　ChatGPTのユースケース
出所：松尾豊「AIの進化と日本の戦略」(https://note.com/kanerinx/n/nf391fdf16532)

1997年には、David Copeがルールベースと統計の組み合わせで、有名な作曲家のスタイルで新しい音楽作品を生成しました。

②音声認識、音声合成技術

　音声認識は、人間の声などを入力し音声のパターンを識別・検出、どんな内容（文）であったかを推定する技術です。人間の声を認識して文字データとして出力したり、音声の特徴を捉えて音声の発信者を識別したりすることができます。一方、文字や文章を音声に変換するのが音声合成技術です。音声合成は、一般に与えられた内容（文）と人間が認識できる音声を収集した人の声から機械によって合成する技術のことです。この2つに、音声認識で推定した内容（文）に対して適切な応答文を出力する「対話制御」という技術が加わることで、「人の話を聞いた機械が適切な応答を音声で返す」という一連の動作を実現することができます。

③音声アシスタントの登場、自然言語処理技術の進展

　音声認識技術と音声合成技術を組み合わせて、音声アシスタントが可

能になります。2010年、AppleはSiriを導入しました。これは、自然言語のクエリを理解し、関連する情報やアクションで応答できる音声アシスタントです。Siriの声は、多層ニューラルネットワークを使用して生成されており、自然で流暢な音声を実現しています。2015年、Amazon.comは様々なデバイスに統合して自然言語のクエリに応答できる音声アシスタントAlexaを発表しました。SiriやAlexaは、Generative AIの重要なコンポーネントである自然言語処理技術の開発における重要なマイルストーンでした。

④2010年代の音楽生成技術の進展

　音楽生成関連では、2016年にソニーがAIアシスト楽曲ツール「Flow Machines」を開発しています。1万曲以上をそのツールに聞かせて音楽のスタイルを学習させているので、そのスタイルを組み合わせて独自の作曲が可能です。Googleも2016年に、音楽を生成するAI開発パッケージ「Magenta」をリリースし、バッハ風の旋律などを手軽に創れる環境を提供しています。最近では、発話（音声）を入力し目的の言語に翻訳して音声で返す音声翻訳の製品も登場しています。

⑤Generative AIによる音声生成技術の進展

　Generative AIを使用した音声生成技術は、文字や文章を音声に変換する音声合成の分野で急速に発展しています。Generative AIは、自然言語処理（NLP）や音声信号処理を用いて、人間の音声に似せた自然な音声を生成することができます。Generative AIによる音声生成技術としては、Google Brainによって開発されたTacotron 2、DeepMindによって開発されたWaveNetなどがあります。WaveNetの登場以降、入力文から自然な音声を生成するテキスト音声合成（Text to-speech：TTS）や、ある話者の音声を別の話者の音声へと変換する声質変換（Voice conversion：VC）

においては、既に自然音声と同等の合成品質を実現するに至っています。

　一方、合成品質が高くなるとそれを悪用する試み（いわゆる「ニューラルオレオレ詐欺」など）も考えられます。合成音声を安全に利用するために、自然音声と合成音声とを適切に見分ける識別技術も重要な課題となっています※。Generative AIを使用した音声生成技術は、音声アシスタント、オーディオブック、教育、音声ナビゲーション、音声ガイダンスなどの分野で利用されています。ただし、生成された音声が自然なものであるためには、高品質の音声データと高度なGenerative AI技術が必要となります。

※ https://www.jstage.jst.go.jp/article/jasj/78/6/78_328/_pdf/-char/ja

(5) 画像生成技術とその利用

　Generative AIは、深層学習モデルを使用して、与えられた条件に基づいて新しい画像を生成できますが、画像における生成AI技術も、テキスト系との共通基盤技術、及び独自技術開発により、大きな進展を遂げています。画像に関わるGenerative AIが大きく発展したのは、2010年以降です。

①Variational Autoencoder（VAE）

　2013年に提案され、変分オートエンコーダと呼ばれ、AIの学習用データから特徴を学び取り、そのデータの特徴を基に学習用データと似ている新しいコンテンツを生成することができます。

②Generative Adversarial Networks（GAN）

　2014年には、画像系のGenerative AIにつながる、Generative

Adversarial Networks（GAN）が開発されました。GANは、ゲームのような設定で2つのネットワークを互いに戦わせることによって新しいデータを生成できるニューラルネットワークの一種です。このブレークスルーにより、架空の人物の画像をあたかも存在するようにリアルに生成したり、顔の特徴や顔自体、さらに顔の表情も変更したりできるようになりました。

　NVIDIAによって開発されたGenerative AIアルゴリズムのStyleGANは、高解像度の写真リアリスティックな画像を生成することができます。

　また、CycleGANは、画像のスタイル変換を得意とするモデルで、2つの画像のドメインの関係を学習することで画像変換を実現する手法です。画家のクロード・モネが描いた作品をCycleGANに入力し、まるでモネがカメラで撮ったような画像が出力されています。

③拡散モデルと画像生成AIの発展
　画像生成AIの発展に大きな影響を与えたのが、2015年に最初に提案された拡散モデルです。拡散モデルでは、学習用の画像にノイズを追加したうえで、その画像からノイズを除去していき、元画像を復元します。拡散モデルを活用することで、GANよりもさらに高解像度な画像を生成することが可能になり、画像生成系AIとして2021年以降広く利用されることになったStable DiffusionやDALL-E2で採用されています。

　DALL-Eでは、2億5,000万のテキストと画像のペアのセットでトレーニングされました。2022年に登場したDALL-E2では、解像度がDALL-Eの4倍に向上しています。これを契機に、2022年8月ごろから、Stable Diffusion、Midjourney、Imagenなど次々と新しい手法が考案されていま

す。Stable Diffusionでは、人間が多くの労力を割いて描いたような絵を数十秒から数分で作成できるようになりました。

　画像生成AIでは、文章から画像を生成する以外に、カメラで撮影した画像を実際の絵画に重ね合わせる技術も用いられています。例えば、カメラで撮影した画像を葛飾北斎の浮世絵画風に変換することができます。

④顔などの画像を入れ替える技術

　顔の画像を入れ替える技術には、コンピューターグラフィクスを用いる「フェイススワップ」もありますが、ディープラーニングによるAIを用いる方法は「ディープフェイク」と呼ばれます。これらの技術は、美容や整形外科のシミュレーションなどに用いることができますが、本物か偽物かが分からず、意図的に悪用されるという課題も生じます。

⑤画像認識、コンピュータービジョン

　画像生成におけるGenerative AIのコア技術、コア領域になるのが、画像認識技術、コンピュータービジョンです。コンピュータービジョンは、コンピューターが画像や動画などの視覚データを解釈して理解できるようにすることに重点を置いたAIのサブフィールドです。コンピュータービジョンを使用して、合成写真や特殊効果用のビデオなど、新しい画像やビデオを生成できます。コンピュータービジョンは、古い写真の復元など、既存の画像や動画を補強するためにも使用できます。

⑥画像生成技術の応用

　現実世界には存在しないものの、非常にリアルな画像や写真の作成が可能です。以下にその用途例を示します。

eコマース

オンラインストア用の非常にリアルな製品画像を作成し、高価な写真撮影の必要性を減らし、顧客が購入する前に製品をより良く理解できるようにします。

エンターテインメント

ビデオゲームや映画やテレビ番組で使用するための非常に現実的で詳細な仮想環境を作成、撮影用の物理的なセットや場所を作成する時間と費用を節約できます。

医療分野

高品質の画像が必要とされる医用画像処理において、迅速性と効率性を高め、非常に詳細でリアルな医療画像を作成し、診断と治療計画に役立てられます。

ファッション、建築やインテリアデザイン

リアルな画像作成で、個人に適したファッションデザイン、建物のバーチャルツアー企画、クライアントへのインテリアデザインのアイデア紹介に利用できます。

Generative AIによる画像生成の課題として、偏ったデータや代表的でないデータでトレーニングされ、画像認識におけるバイアスと差別が発生される可能性が指摘されています。また、非現実的またはひずんだ出力が生成される可能性、大量のラベル付きデータに依存し時間と費用がかかる可能性、画像のラベル付けに膨大な人間の労力と専門知識が必要な可能性、などの課題があり、技術開発や手法の改善が進められています。

(6) 動画生成技術と利用方法

　Generative AIは、深層学習モデルを使用して、自然言語や静止画像から動画を生成できます。Generative AIによる動画生成技術は、動画制作の自動化や特殊効果の作成が可能で、ビデオエフェクト、VFX（ビジュアル・エフェクツ）、映画、ゲーム、クリエーティブエージェンシー、マーケティングなどの分野で利用されています。以下は、Generative AIによる動画生成技術の例です。

DeepFake（ディープフェイク）
　GANを利用した映像技術の一つで、既存の映像から新たな映像を生成、例えば、有名人の顔を別の人の顔に置き換えた動画を作成できます。また、自然言語処理やコンピュータービジョン技術を使用し、顔の表情や体の動きを合成できます。

Video-to-Video Synthesis
　入力映像と出力映像の間の対応関係を学習し、入力映像を目的の出力映像に変換、例えば手書きのスケッチを自然な風景画像に変換でき、さらに静止画像から動画を生成したり、前景と背景を分離して動画を生成したりする開発も行われています。

Text-to-Video Synthesis
　自然言語を動画に変換、例えば小説や物語を動画に変換できます。この技術は、自然言語処理技術とディープラーニング技術を組み合わせています。

　Generative AIによる動画生成技術は、映画、テレビ、ゲーム、アニメー

ション、マーケティング、広告などの分野で利用されています。ただし、高品質のトレーニングデータと高度なGenerative AI技術が必要となるため、技術的な専門知識が必要な場合があります。また、DeepFakeは、虚偽の情報を拡散するために悪用される可能性があるため、法的な問題が浮上することもあります。

(7) コード生成技術

AIによるコード生成技術は、主に3つの進化を経て現在に至っています。

①テンプレートベースのコード生成

手動で書かれたコードのパターンを学習して新しいコードを生成するものでした。このアプローチは、あらかじめ定義されたコードテンプレートを使用して新しいコードを生成するツールとして、よく使用されるデザインパターン生成などに利用されます。ユーザーが簡単にカスタマイズできるため、初心者にとって有用とされます。

②ニューラルネットワークによる自動コード生成

コンピューターが自動的にコードを生成するためのニューラルネットワークモデルです。これは、APIドキュメントからのコード生成や、自然言語での要求からのコード生成などに使用されます。コンピューターによってコードの文法や構造を自動的に学習することができ、Transformerモデルなどのニューラルネットワークを使用しています。

③GANを利用したコード生成

GAN（Generative Adversarial Network）を使用した技術で、生成され

たコードの品質向上、大規模なコード生成に適しています。ソフトウエア開発者がコードを共有し、コードの変更履歴を管理するプラットフォームであるGitHubのリポジトリーからデータを収集し、現実的なコードを生成するといったことができます。

2-2
Generative AIによるシンギュラリティの到来の可能性

　シンギュラリティ（Singularity）とは、AIが人間の知能を超越し、人間の理解を超えた進化を遂げるとされる概念です。もともとは数学や物理学で使われる「特異点」のことで、ある基準において、その基準が適用できない（singular）点を意味します。例えば、重力場が無限大となるような場所を「重力の特異点」（Gravitational Singularity）と言います。また、技術的特異点（Technological Singularity）とは、AIなどの技術進歩のスピードが急激に上昇し、それまでとは全く異なった予測不能な形で進歩し始める時点を意味します。

　米国のレイ・カーツワイル氏が2005年に公刊した書籍『The Singularity Is Near：When Humans Transcend Biology※』（『シンギュラリティは近い―人類が生命を超越するとき』）で、シンギュラリティが2045年前後に来ると予測し、2012年以降のディープラーニングの爆発的な普及を契機として大きな注目を集めるようになりました。

※ http://stargate.inf.elte.hu/~seci/fun/Kurzweil,%20Ray%20-%20Singularity%20Is%20Near,%20The%20%28hardback%20ed%29%20%5Bv1.3%5D.pdf

　カーツワイル氏のこの書籍は英文で400ページ以上あり、半導体の集積回路の集積度が18カ月で2倍になるというムーアの法則からヒントを得て、科学技術が指数関数的に進歩するという「収穫加速の法則」を考案し、それがシンギュラリティの予測の根拠の一つになっています。

また、カーツワイル氏は、「1,000ドルで手に入るコンピューターの性能が全人類の脳の計算性能を上回る時点」を2045年ごろと予測しています。2045年時点が注目されますが、コンピューターの性能が1人の人間の能力を超えるのは、2020年代と予測していたことが、図から読み取れます（**図表2-9**）。

　また、「チューリングテストに合格する人間の知性の機能シミュレーションの形で行われ、2029年までに行われると私は信じている」とも書いています。チューリングテストは、機械（人工知能）が人間を模倣して

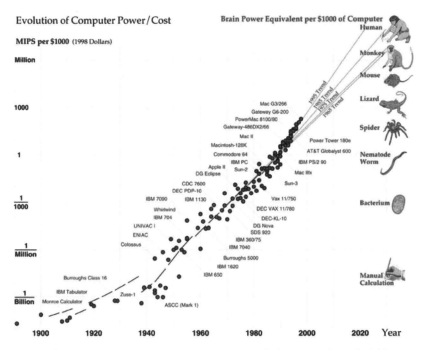

図表2-9　カーツワイルによるコンピューティング能力の見通し（2005年時点）

出所：Ray Kurzweil, 2005. "The Singularity Is Near", Viking Penguin, p72. (http://stargate.inf.elte.hu/~seci /fun/Kurzweil,%20Ray%20-%20Singularity%20Is%20Near,%20The%20%28hardback%20ed%29%20 %5Bv1.3%5D.pdf)

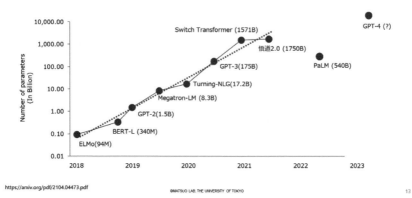

図表2-10　大規模言語モデルの変化
出所：松尾豊「AIの進化と日本の戦略」(https://note.com/kanerinx/n/nf391fdf16532)

人間がそれに気付かないテストで、現在のGenerative AIはかなりその領域に近付いているのではないでしょうか。

　カーツワイル氏のシンギュラリティについての見方は非常に大きな注目を集める一方で、賛否両論の見方が多数出されました。批判的な見解は、技術的特異点の概念、人間の脳を超えることの定義、ゲノムと半導体の比較などに関する生物学的視点、指数関数的な成長の継続性に関する物理や化学の視点、経済・社会・法律的な視点など多様です。

　大規模言語モデルの指数的変化などを見た場合、そのスピードや能力の向上は目を見張るものがあり、特に言語的な能力に関しては顕著です（**図表2-10**）。また、大規模言語モデルがある規模を超えると急激に能力が高まる「創発」の現象が顕著にみられます（**図表2-11**）。このような状

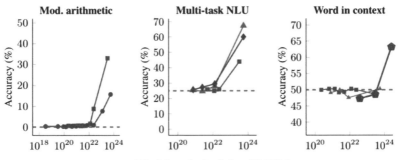

多段階の算術演算を実行する能力（左）、大学レベルの試験に合格する能力（中央）、コンテキスト内の単語の意図された意味を識別する能力（右）はすべて、十分に大規模なモデルでのみ出現します。表示されているモデルには、LaMDA、GPT-3、Gopher、Chinchilla、およびPaLMが含まれます。

図表2-11 大規模言語モデルによる「創発」の現象

出所：Jason Wei and Yi Tay, Research Scientists, Google Research, Brain Team, 2022. "Characterizing Emergent Phenomena in Large Language Models." (https://ai.googleblog.com/2022/11/characterizing-emergent-phenomena-in.html)

況は、シンギュラリティが今そこにあるような状況になっているとも考えられます。

　また、特定の目的を達するための特化型AI（NAI）の進展が先行し、多種多様な目的に資する汎用AI（AGI）の進展はそれに遅れる、というのが今までの定説だったと思います。それで、汎用AI（AGI）の実現をシンギュラリティと結び付ける考えもありますが、カーツワイル氏はそのことには言及していないと思われます。ただし、Generative AIはむしろかなり汎用的であり、専門的で特化型のAIが訓練により実現することになるとみられ、その点も注目すべきと考えられます。

シンギュラリティの概念には不明確な部分があり、部分的に
Generative AIが人間を上回る可能性は大いにありますが、完全にすべて
の能力を凌駕するのは難しいと思われます。

　2008年にカーツワイル氏らが設立したとされるシンギュラリティ大学
の総長を務めたニール・ジェイコブスティン氏は、AIにおける指数関数
的知能を8つの側面から示しました※。この知能は指数関数的な変化を前
提としている面や、知能の網羅性などの点で課題が指摘されていますが、
AIが将来的に達成すべき視点を示すものとして興味深いものです。
※ https://www.fujitsu.com/jp/Images/er2015vol01.pdf

　この定義によれば、Generative AIを含むAIは、統計的知能、デザイ
ン知能で人間を上回る可能性があります。また、人間との協調を行うこ
とで、社会的知能、意思決定知能、創造的知能を、人間の能力を拡張で
きる可能性があると考えられます。感情的知能や倫理的知能は人間に固
有の知能とも思われますが、人間の知能を学習することで、将来的に十
分有効なレベルになるかもしれません。

　Generative AIにより言語や画像、音声生成の能力が向上しても、ロボッ
ト技術が進展しないと移動も手足の操作もできず、多くの面で人間の能
力には匹敵しないという指摘もあります。Generative AIの技術進展と比
較するとロボット技術の進展は遅く、Generative AIやロボットが人間と
協調（または補完、連携）するような形が必要と考えられます。製造業の
生産工程や、要介護者・高齢者の生活支援はもとより、人間の身体的な
能力拡張が必要な領域では重要性が高いと思われます。

　以上をまとめれば、Generative AIは言語的能力などの一部の知能では

シンギュラリティに非常に近い領域に達している可能性があります。実際、一部のGenerative AIは、自律的に学習し、より高度なタスクを実行できるようになりつつあり、これにより、人間が理解できない複雑なパターンや現象を生成することができる可能性があります。自然言語処理モデルによる自然な文章生成、GAN（Generative Adversarial Network）による写真や映像、音楽などのメディア生成はその例と言えるかもしれません。

　一方で、シンギュラリティを引き起こすには、人間の知能を超えた自己学習や自己改善を行うAIが必要ですが、現在のGenerative AIは、人間が与えたデータセットから学習しているため、まだそのレベルに達していないと言えると思います。

　Generative AIは、もちろん一部人間のタスクを代替し生産性向上を高める役割が期待されます。しかし、Generative AIの本質は、あくまで人間を主体とし、人間との協調や連携により、人間の能力を拡張することにあると考えられます。シンギュラリティが発生したときに人間がどう対応したらいいのかということもありますが、この点を重視してさらに考えていきたいと思います。

2-3
Generative AI技術を使う応用展開

(1) 応用展開を検討する視点

　Generative AIを使用することで、デザイナーなど人間とAIの協調が
可能になります。人間とAIの関わり方を表現する言葉として、人間の創
造性の拡張を意味する「Augmented Creativity」という概念が提唱され
ています。Generative AIは、多様な用途に利用され、その使われ方は場
合によっては一部人間の作業を代替することもありますが、人間を補完
したり、人間と協調したりする方が役割として望まれる場合の方が多く
なると思われます。

　Generative AIの利用の仕方として、基盤となるプラットフォームや
ツールを社内で一から作り上げることは難しく、ChatGPTやGPT-4など
を自社のデータベースを利用して独自のシステムを構築していく、また
自社に関係のある外部データを用いて、将来予測や環境分析を行ってい
くといった使い方が一般的になると思われます。

　ビジネスデザインとして考えた場合、主に自社で進めるのか、スキル
やノウハウのあるGenerative AI関連企業と連携するのか、それらの企
業のサービスを活用するのか、といった選択肢があります。前提として、
Generative AIにはテキスト、画像、音声、さらにマルチモーダルとあり、
何を対象にするのかなども重要になります。

以上に述べたのはビジネスデザインの方法論的な部分ですが、Generative AIをどのような目的で利用し、何を目指すのかといった、目的やビジョンがまず必要です。この点については、明確な目的意識、将来像を持っている企業もあると思いますが、多くの企業はまず試行的に「使えるかどうかを検討したい」という段階かもしれません。

　まとめると、以下のような視点の検討が必要になります。

- どのような目的でGenerative AIを利用するか
- 人間とGenerative AIとの役割分担（いかに互いの強みを生かし補完するか）
- どのようなGenerative AIを利用して目的を達成するか（テキスト、画像、音声、マルチモーダル）
- どの企業や組織のGenerative AIを利用するか（自社、他社のツールやサービス）
- 対象となるデータベースやデータセット（自社内、外部データ）
- PDCAの回し方（KPIなどの指標設定）

　以上を一気に決めるのは難しく、実際には先行事例を見つつ試行するのが現実的と思われます。そこで次に、先行事例としてGenerative AIを用いた展開例を紹介します。

（2）Generative AIを用いた展開例

①Generative AIを用いたデータ分析
　Generative AIを用いたデータ分析は、データを直接分析するだけでなく、Generative AIを用いてデータを生成し、そのデータから新しい情

報を得ることも可能です。既存のデータに基づいて、未知のデータを生成することで予測分析やシミュレーションが可能で、またデータセットが不足している場合にも利用されます。以下は、Generative AIを用いたデータ分析による技術と利用例です。

Transformerの利用

購買予測、電気使用量予測、インフルエンザ感染症予測などの時系列データ分析などに最近利用が拡大しています。

Recurrent Neural Network（RNN）の利用

時系列データを分析することができ、金融市場の予測や顧客嗜好の予測などに利用されましたが、最近ではTransformerの方が利用されています。

②Generative AIを用いたコンテンツ生成

Generative AIを利用して文章、画像、動画、音声を生成できることは既に説明した通りです。実際にGenerative AIを利用して、記事、ブログ投稿、ソーシャルメディア投稿などが多くなされていると思われます。これは、定期的にコンテンツを作成する企業や専門家にとって貴重な時間節約ツールとなり、生産性向上につながります。

著名な小説家や画家、音楽家が、Generative AIを利用して作品を制作することはあるのでしょうか。

小説では、AI研究者が2012年ごろから実際にある作品を分析して短編小説をAIで作るプロジェクトを開始しています。2016年には『コンピューターが小説を書く日』が星新一賞の1次選考を通過しました。2022

年2月には、星新一賞で初めて、AIを使って執筆した小説『あなたはそこにいますか？』が入選しました。受賞者は、AIが生成した粗筋を基にした執筆や、AIが書いた文章の編集などを通して、AIと共同で小説を作っているといいます。星新一賞は、応募規定でAIなどによる作品の応募を認めている文学賞で、2022年の応募総数は2,603編、そのうちAIを利用して作られた作品は114編で4％を占め、前年の14編から急増しています。

　ほかにも、太宰治の『人間失格』をAIが自動生成した文章を作者が編集し、新たな表現を加えた作品なども現れています。ChatGPTに「川端康成の『雪国』の冒頭を村上春樹風に書いて」と問えば、作品の出来はともかく、実際に書いてくれる時代です。もちろん、著作権などの問題はありますが、Generative AIの文章生成、編集、再構成、集約の能力を示しているといえ、ビジネスにも大いに役立つでしょう。

　絵画では、画像生成AI「Midjourney」が生成した作品が、2022年8月にファインアートコンテストのデジタルアーツ部門で1位を取った実績があります。作者はMidjourneyを使って数百枚の画像を生成し、その中から3枚を選んでAdobe Photoshopで画像を調整し、さらにAIを使って解像度を上げたものをプリントして提出したとしています。作者は「いずれ芸術界はAIが制作した芸術を人工知能アートとして独自のカテゴリーを作るだろう」と持論を述べているとのことです※。
※ https://www.itmedia.co.jp/news/articles/2209/01/news148.html

　著作権問題などがありますが、Generative AIの可能性や新しい用途を示唆しています。

　Netflixは他社と共同で、独自の画像生成AIを活用してアニメ背景画の

自動生成ツールを開発し、「犬と少年」という3分ほどの短編アニメを公開しました。アニメーターの人手不足などを見越した取り組みで、AIは短編アニメの背景画像を生成しています。この取り組みで注目されるのは、Transformerベースの画像生成AIを使っていますが、オリジナルのAI技術をかなり早い時期から開発していたことです。アニメ制作の40～50％の省力化につながり、背景以外の部分の品質向上にも寄与しています[※]。クリエーティブな産業においても人手不足は顕著であり、注目される事例といえるでしょう。

※ https://www.businessinsider.jp/post-265291

③Generative AIを用いたプログラミング

　Generative AIを用いたプログラミングでは、コードの自動生成、修正、最適化など、様々なプログラミングタスクを自動化します。

　Generative AIを用いたプログラミングへの利用では、テキストを用いて訓練したニューラルネットワークGPT-3に基づくモデルである「OpenAI Codex」が有名です。CodexはPythonやJavaScriptなどの主要なプログラミング言語を理解し、Codexに対して、プログラマーが自然言語でプログラムの概要を説明すると、Codexはそれに基づいて、自動的にコードを生成します。Codexは人間のプログラミングを置き換えるのではなく、その作業を早めることを目的とし、Codexが最も優れているのは単純な問題をコードにすることであり、プログラミングの中で最も楽しくない部分とされています。CodexはGPT-3の系統のモデルですが、2023年3月に非推奨（deprecated）となり、GPT-3.5以降が推奨となりました。

　OpenAI Codexを利用したクラウド型のプログラムコード生成AIとし

て、GitHub Copilotがあります。GitHub Copilotの機能には、コード上の
コメントを実行可能なコードに変換し、コードの塊や繰り返し部分、方
法論や関数の全体を自動補完するなど、プログラマー向けの支援機能が
備わっています。GitHubは、2018年にMicrosoftに買収されているので、
Microsoftはほかのツールとの統合や、統合化されたサービス提供が可能
です。

　Codexのようなモデル、GitHub Copilotのようなサービスは、プログラ
マーの作業効率を高めることで、より高度なタスクに集中することがで
き、また、初心者や非プログラマーがプログラミングに参加するのを容
易にする点で注目されるでしょう。

　Generative AIでは、コード生成のみでなく、コードの修正や最適化
への利用も注目されます。コード修正は、不具合のあるコードを自動的
に修正し、バグの修正やパフォーマンス向上などの目的で使用されます。
また、Generative AIによって、既存のコードを変換して最適化すること
もできます。例えば、コードの圧縮、リファクタリング、パフォーマン
スの最適化などを行うことができ、このアプローチは、大規模で複雑な
プログラムの最適化に有用です。

　Generative AIによるコード最適化は、使用メモリーの削減による処理
速度の高速化、シンプルなコードでのコスト削減、バグの削減といった
メリットがあります。

④カスタマイズの実現、顧客体験の向上
　Generative AIは、個人に適したパーソナライズされたコンテンツ作成
に適すると考えられます。既に化粧品業界ではAIによる顔の分析を行っ

たうえで、特定の個人に合った化粧品を自販機で提供する事例が出てきています。この事例は、技術的にはGenerative AI以前の技術が利用されていると考えられますが、感性の領域でパーソナライズされた商品提供においてGenerative AIの活用が注目されます。視覚、聴覚関連への利用に加え、長期的には個人の嗜好への適合といった点で難しい嗅覚や味覚といった領域での生成技術につながるかもしれません。

インタビュー：**松尾 豊 氏**

東京大学大学院工学系研究科 人工物工学研究センター／技術経営戦略学専攻 教授（以下、敬称略）

Generative AIのビジネス活用の可能性とまだ見えない部分

――国のAI戦略会議の座長も務められ、Generative AIに関するインタビューや講演も相当増えていらっしゃると思います。

松尾：多くの依頼がありますが、いつも同じような質問に同じように答えていて「またか」と思っていたのですが、今回は少し違う話ができそうでうれしいです。ビジネス活用などはまだよく分からないことがあり、そうした議論ができればと期待しています。

――まずはビジネス活用からお話を伺いたいのですが、私が感じていることは、ビジネスにおいてGenerative AIを使うことが普通になるということなのですが、どう思われますか。

　普通になると思います。書類を作るとか、ブレストとか、情報整理する、調べて整理するとか、そういうことはほぼできますから。

――手書きすればWebサイトでHTML化してくれるサービスがありますが、最近GPT-4がマルチモーダルになったので、フロントエンドのエンジニアは今後どうなると思われますか？

　コーディングはやってくれますが、どのレベルのエンジニアはいらな

くて、どのレベルから人が必要なのかはまだよく分かっていないです。

——ホワイトカラーの仕事だと、弁護士で言うとパラリーガルみたいな仕事とか、会計監査とかをしているファームだと単純な資料や計算書を作っている人がいらなくなるイメージだったんですけど、マルチモーダルになったら、一気にもうちょっと可動域が広くなる感じでしょうか。

　そうですね。広いですよね。でもいくつか気になっている点はあります。

　データがボトルネックになるという可能性です。インターネットの情報を学習していて、その範囲ですごく賢く答えてくれますが、今後それほど性能が上がるわけじゃない可能性です。

　それから、ローカルなドキュメントをどうやって学習させるのだろうというのがあって、そこが今のところちょっと難しいというか、どうやるのかということがありますね。

　あとはかなり複雑な行動、例えばブラウザーやSaaSにアクセスすることが大規模言語モデルでできる技術も開発されています。それがうまくいくと、勝手にSaaSにアクセスしていろんな情報を引き出して整理するとか、言われたようにチケットを予約して航空券手配できますが、どこまでそういう技術が使い物になってくるかが、ちょっとまだ見えないところです。場合によっては、意外に技術の限界が来るのが早いかもしれません。

　そうはいっても、今のレベルでも相当変わっていくと思います。アプ

リ周りの人もどんどん開発し始めていますが、開発しやすい面としにくい面が両方あります。例えばチャットボットみたいなものを作るだけなら一瞬にしてできてしまい、簡単過ぎて逆に何が競争優位になるのかがよく分からないという面があります。

——ただ引っ張ってくるだけですからね。

　そうなんですよ。ところが、何か決まった振る舞いをするように制御をしようとすると結構難しくて、ChatGPTにどういう答えを言わせて、ChatGPTが何を分かっているかをどう引き出すのか、簡単ではありません。ある場合には、システム向けの返答とユーザー向けの返答を使い分けるように指示しなければいけません。そういった従来のプログラミングにない難しさもあって、そのあたりがとても面白いけれど、同時にまだよく分からないところでもあります。

ChatGPTのデータセットの情報源について

——AI自体の性能と、データセットの問題の両方ある気がします。バリューが出やすいデータセットをいかに整えていくかが大事だと思います。「日本のデータが取られまくって、日本は大丈夫ですか？」という指摘もあります。日本にプラットフォームを作る構想とか考えはありますか。

　基本的にはデータの量が大事で、質が高くて量が多いとなると、ネット上の情報を取捨選択して使うのが初手としては良く、英語圏の情報も使った方がよいです。日本で日本語のデータを充実させる場合でも、OpenAIと同じように情報源は、まずはインターネット上の情報と

Wikipediaと本なんですね。たぶん、それが最初のやり方です。あとは、メッセージングアプリとか、対話のデータをどれだけ入れるかとかはあるかもしれないですね。

——ネット上の情報は、会話形式になっていないですよね。

そうなのでWhisper（ウィスパー）※のような音声認識のAPIも出ています。結局データをどうやって作るかの方が重要になり、そこが差異化になるため、WhisperをChatGPTのAPIと一緒に出したということかもしれません。そうなると、ほかの大規模言語モデルのプレーヤーが持ってないデータをいかに集めるかの戦いになるのかもしれないですね。

※ OpenAIが2022年9月に公開、Webで収集した68万時間の多言語やマルチタスクデータで学習した自動音声認識（ASR）システムで、様々な言語の音声を認識し、英語に翻訳する。2023年3月1日、OpenAIは、ChatGPTとWhisperにAPIを導入している

GPT-4の次には何が来るか

——これくらい開発スピードが速いと、もはや次に何が出てくるか予測が難しいですね。

そうなんですよ。指数関数的成長とはこういうことで、本当に速過ぎて、ビッグテックでさえ戦う体制をつくろうとしたら、その時にはもうかなり先に行っている感じです。でも、これぞイノベーション、ディスラプト（Disrupt）です。

——ビッグテックの強みはPyTorch（パイトーチ）[1]やTensorFlow（テンサーフロー）[2]のようなフレームワーク、自分たちが作成した教典だったと思います。それがGPTの流れの中で、一気にそういう優位性が薄らい

できた気がします。

※1 コンピュータービジョンや自然言語処理で利用されている機械学習ライブラリ。最初は旧
　　Facebookの人工知能研究グループAI Research lab（FAIR）により開発された
※2 Googleが開発しオープンソースで公開している、機械学習に用いるためのソフトウエアライブ
　　ラリ

　ChatGPTはクリーンヒットで、そこで一気に奪ったリードを守るべく、ますます加速していて、すごいですよね。

——GPT-4の次はGPT-5とか6になってくると思うのですが、パラメーター数が多いほど性能が上がりスピード勝負になっていくのでしょうか。GPT-4になったら、苦手だった税務計算やさらに物理的なものも取り込めるとか、幹からバブルを増やしていくような方に進むのか、そのあたりはどうでしょうか。

　GPT-4の時点でパラメーター数は非公開にしています。競合に対して重要な情報になり、コストの見積もりなどにもつながるので、言わないようにしているという位、本気の戦いモードになってきたと思います。

　GPT-4はトークン*が8,000から3万2,000になり、より賢いことが処理できます。大きくなるとそれだけ推論能力が上がり、テストによっては大幅に能力が上がっています。GPT-3からGPT-4で本質的な仕組みはあまり変わらず、GPT-5が出てもたぶんそうです。GPT-3とかGPT-4にしても技術的限界で、何から先ができないかが見えていません。ただ僕の予想では何か見えてくるはずだと思っていて、そこから先で、またブレークスルーが必要な領域が出てくるはずという感じはしますが、まだ分からないです。

※ プログラミング言語などのソースコードにおける、意味を成す最小単位である字句

——GPT-3、GPT-4は、今までの延長線上で、データを読み込ませたら指数関数的成長になりますが、まだその先の方策が見えていないんじゃないでしょうか。

　一つの重要な要素が、OpenAIもGoogle Brainもそうですが、ロボットの研究はいったん諦めています。ロボットの研究を中止して、言語の研究に集中しています。

　人間は言葉もしゃべれますが、そのベースには動物のように周りを見たり、周りに働き掛けて歩き回ったり、物を動かす能力があります。今のChatGPTにその能力はないんです。その能力がないのに言語能力だけが異常に高くなり、普通に考えると、その能力がないことに起因する何かができないはずです。

ホワイトカラーの仕事はどう変わっていくか

——なるほど、面白いですね。ホワイトカラーの仕事は、僕は一定の仕事はなくなる一方で、ある一定の社会的需要のある仕事は生産性向上がものすごく、爆発的に物量が出せるようになる気がします。今後、ホワイトカラー、管理職の人たちがどのように仕事をしていくべきかというところはいかがですか。

　仕事が奪われる話は以前からありますが、今回は本当にいろんな仕事がなくなると思います。例えばコンサルタントのアシスタントとかの仕事は、たぶんなくなると思います。その人たちがいらなくなるということではなくて、もうちょっと上の仕事をするということだと考えます。職業がなくなるのではなくてタスクがなくなる、仕事としてやることが変

わるということだと思います。

　あとは、人間はいつまでたっても人間様で、例えば将棋のAIが最初に
プロ棋士に勝った時は、本当にお通夜みたいな記者会見でした。これで
我々は終わった感じでしたが、しばらくするとAIの方が強いことは当た
り前になり、今は藤井聡太さんで盛り上がっています。AIが評価値を出
して、逆転したと観戦の道具になっています。人間は都合が悪いことは
すぐ忘れ、自分に都合がいいんです。だから、かつては人間がしていた
仕事でも、しなくてよくなれば、急にそれは機械のする仕事になります。

　人間は面白いこと、やりがいがあること、段々熟練することや、チー
ムでやると勝てること、そういうことに熱中すると思っています。仕事
は仕事としてあり続け、新しいものがまた出てきます。そして、生産性
とさらに関係がなくなると思います。

シンギュラリティの実現には言語系に加え
ロボット系の進展が必要

——2040年ごろにシンギュラリティが来るという話があったと思います。
また、既にシンギュラリティが到来しているとの説もあります。松尾先
生のお考えを聞かせてください。

　シンギュラリティはもっとずっと先です。現段階のChatGPTや大規模
言語モデルのレベルは、シンギュラリティとは距離がある感じはします。

——昔からドラえもんのようなAIはできないという話でした。とはいえ、
先生がおっしゃったように、言語の部分だけがシンギュラリティに近付

き、いろんなことができそうな感じになった気もします。

言語に関してはそうですね。今いろんな経営者やスタートアップの創業者が、どういうことを考えているかを知りたいです。みんな本気で考えているはずです。

ChatGPTは、営業、マーケティング、調整関連の利用に向いている

——大企業でどう使えばいいか、またベンチャーでどういうビジネスモデルがあるか、そういう相談は多いですか？

大企業で使いたいというのはあります。スタートアップの人は、本気で事業を考えていれば言いませんよね。

——ChatGPTだとプラットフォームが非常に強いので、その上のアプリみたいなものは作りにくい感じが今の時点ではしています。

アプリは、そのドメインごとに違ったサービスをどう立ち上げて、急速に拡大していくかみたいな戦いになるのかもしれないですね。人材領域とか面白いと思うのですが。

——なんとなく今まで機械的には答えが出なかった領域、営業とか人材とかコールセンターとか、ただ単にデータで答えが出ないものは、比較的向いている気がします。

営業とかマーケティングみたいなお金に近いところは先に成立するの

ではないですか。ChatGPTを使った営業とか、お客さんに近いところは成立します。そして、ちょっと売りにくかったものが売れるようになるはずなんですよね。

——AI秘書みたいなものですよね。調整業務に使っている時間は非常に長いですが、調整業務にお金を払う人は極めて少ないそうです。

人事評価に利用すると、人事の人数を減らせる可能性

人事評価もそうで、辞めそうな人をちょっと慰め引き止めてくれるとか、できるかもしれません。

——確かに、そのあたりは今まで全くテック領域じゃなかったところですね。でもそうした非テック領域だったところをできるようになると、有望な気がします。

採用後のプロセスの人事評価とかは今まで自動化できませんでした。各社でやっているのを、もう少しサービス化できるかもしれません。

——人事評価はありますね。私がビッグテックにいた頃は自動でやっていました。目標に対してどれくらい達成（achieve）したかなどを入力し、周りの社員からの評価を加味して、昇進・昇格が決まる仕組みです。部門ごとの人材構成などをAIがまとめて全部出してくれます。「会社全体でこういう評価で、今回昇進・昇格する人は、このレイヤーで何人です」と数えてくれるのです。それを受けて、本社で決めたアルゴリズム（例えば、日本の経済成長はどのくらいで、今のビジネスはこうだから来期これぐらいの数字で何をやっていくかとか、それぞれのレイヤーで何人く

らいになると予算に合うのかなど）で判断します。理想的な人口分布とレイヤーを重ねて見る機能を使うと、「ここをもう少し昇進・昇格してもよくないか」と見えてきて、マネジャー全員に「あと2人ぐらいこのレイヤーで昇進・昇格させたい人がいないか」と聞いて、「こいつはこういう働きしていて、ちょっと早いけれど次回に」となり、今回ではないけど次回上げることが決まるような感じです。ある程度データをちゃんとサポートしてあげると、リコメンドでもう次の次ぐらいかみたいなことになり、勝手にお花がついている顔写真とかが出ます。

すごいですね。

――新規事業に人は必要だと思いますが、経営企画の仕事はAIである程度できますよね。

人が必要なのは謝罪対応みたいなところでしょうか。

――松尾先生の資料に「営業とベンチャー経営者は教育に対してマイナス評価が高い」というデータがあり、教育や学習だけでは育成するのが難しそうです。

開発、利用スピードの加速を実現できる企業、人材が必要

――ChatGPT-4が出てきて、松尾先生の研究室（松尾研）ではどんなムードですか？　AIの次のブームが始まったという感じなんですか。

そうですね。変化がとても早いです。だから、学生にも「どんどんやった方がいいよ」と言って、もうみんな勝手に情報共有会みたいなものを始

めています。

——そういう意味では、今までにない全く新しい流れですよね。

　そうなんですよ。大企業の経営者向けにChatGPTを使ったブレストセッションをやると、ニーズが多そうです。

　「なんとなくAIすごいらしいよ」というニュースにはなりますが、大半の人は何がすごいかよく分かっていません。使ってみたら分かりやすいですけどね。本当にこんな最先端のものを使えることは、あまりないです。

——今後Generative AIが勃興している時代には、こういうことをやっていきたいとか、こういうふうに動いていこうと思っていることがあれば教えてください。

　そうですね、僕はこのスピード感にしびれていて、これぞ戦い方という気がします。でも僕は、日本の自動車とか電子機器とかも、そうだったんじゃないかと思っています。いつでも追いつけ、大したことはないと思っていたら、もういつの間にかずっと先を行き続けている感じです。

　OpenAIを見ると、小さい会社が大きい会社に勝つ、ジャイアント・キリングはこうして起こると感じますし、だからもっと早く動かないといけないです。

——日本には何かを仕掛けられる人が、もっともっと必要ですよね。いろいろなお話を聞かせていただき、ありがとうございました。

第3章 | Generative AI の
ビジネス・投資の現状分析

3-1
Generative AIのビジネス

　本章では、Generative AIのビジネスや投資面について深掘りします（自社業務利用については次章で説明します）。まずは、想定されるGenerative AIの業界構造を示して対象分野別の製品・サービスを整理し、活発なGenerative AI関連の投資活動に着目します。次に、Generative AIを用いたサービスを提供するMicrosoftの動きを分析します。章末には、日本マイクロソフトのキーパーソンへのインタビューを掲載しています。

　Generative AIのビジネス展開は始まったばかりで、まだ明確な事業構造や参入形態が定まっているわけではありませんが、先行する各社の取り組みから、(1) 大まかな事業構造と、(2) 対象分野別製品・サービスの実用例を紹介します。

(1) 事業構造

　図表3-1はGenerative AIの想定される事業構造を示しており、レイヤーごとにビジネス機会があります。ただ実際は、MicrosoftやGoogleなどの有力企業は自社開発だけでなくスタートアップとの連携や買収によって垂直方向に事業を統合し、既存製品の差異化や事業領域の拡大を進めつつあります。

図表3-1　Generative AIの想定される事業構造とレイヤー

レイヤー	事業類型	事業概要	主要参入企業、事業
ユーザー	一般ユーザー	（ユーザーと同時に開発者にもなれる可能性）	● 非開発系クリエーター（ChatGPTなどを利用）
	企業ユーザー	ChatGPTなどのGenerative AIを社内向けに活用、社外向け事業にも可能性	● パナソニック コネクト ● Salesforce ● ゴールドマン・サックス
アプリケーション（サービスを含む）	エンドユーザー向け	エンドユーザー向けのアプリ、サービスを提供	● Midjourney（テキストから画像の基盤、アプリ） ● Be My Eyes
	企業向け	企業向けのアプリ	● Grammarly（デジタルライティング）
	アプリ用プラットフォーム	アプリを構築する汎用的なプラットフォームやツールの提供	● Microsoft－OpenAI（ChatGPT） ● Google
モデル	モデル作成支援	モデルファインチューン、プラグイン、ハブ化など	● GitHub ● Cohere
	クローズドモデル	Generative AI用のクローズドな基盤モデルを提供	● OpenAI（GPT-4） ● Google
	オープンソースモデル	Generative AI用のオープンソース基盤モデルを提供	● Stability AI（Stable Diffusion）
インフラ	クラウドプラットフォーム＋開発サービス	Generative AI用のクラウドや開発用の支援サービスを提供	● Amazon.com（AWS） ● Microsoft（Azure） ● Google（GCP）
	ハードウエア	Generative AI用の機械学習や画像処理に特化したICや部品の提供	● Google（TPUs：機械学習に特化したIC） ● NVIDIA（GPUs）

（2）対象分野別製品・サービスの実用例

　次に、Generative AIを実用化（予定を含む）した実際の製品・サービスを、「①一般業務・サービス事業者向け」と「②製造・建設業向け」に分けて紹介します。①はOpenAIのChatGPTやその基盤になったGPT-3、GPT-4の利用が多いですが、②は画像生成やコード生成など多様な

Generative AIを活用し、専門特化していることが特徴です。多様な業種・職種で活用が進んでいるのは確かなことです。

①一般業務・サービス事業者向け製品・サービス

既存の製品やサービスに対話型AIを組み込み、コンテンツ作成、要約、評価、検索代替、プログラムコード作成支援、キャッチコピーの提案など、多様な機能を提供しています（**図表3-2**）。

数として多いのは、多くの顧客に適用できる汎用的な事業です。特にMicrosoftのWord、Excel、PowerPointへのGenerative AIの活用は非常に汎用的であり、PCにおけるキーボード入力のあり方を変革し、働き方、生産性向上という点で非常に大きなインパクトがあると考えられます。

一方で、弁護士ドットコムの法律相談サービス事業は専門業務になります。同社の取り組みは専門的な弁護士の業務と競合するとの指摘もありますが、むしろ潜在顧客に広くリーチし、結果として顧客の増加と市場拡大が考えられ、ビジネスモデルとして注目されています。

②製造・建設業向け製品・サービス

Generative AIの利用が進んでいるのは、製品設計や、建築物・インフラ施設の設計です。そのほか、材料探索、調達、研究開発、生産・品質管理、業務管理に利用するコード生成など、バリューチェーンの多くの部分でGenerative AIが多様な用途で活用されています（**図表3-3**）。

材料探索では希少資源に代替する電池材料の探索、調達ではユーザーへの質問などを通じての適切な調達先の選定や調達書類の自動作成が行われています。また、自動運転に関わる領域として、必要な合成データ

の生成に利用されています。全体として米国などの海外企業が、開発・事業化、利用とも先行している印象ですが、プログラミングにおけるコード生成では、日本のトヨタ自動車や花王も利用し、生産性向上や内製化に貢献しています。

図表3-2　一般業務・サービス事業者向け製品・サービスのGenerative AI実用化例（予定を含む）

分野	企業名	Generative AIを適用している機能など
業務用ソフト	Microsoft	PowerPoint、Excel、Wordへの対話型AIの導入。大まかな内容提示でスライド作成、グラフ作成や情報要約文の作成、提案書ドラフトの作成などを実施
ライティング、コンテンツ作成	Google	Gmailで箇条書きからの文章作成。検索の高度化
	Notion	新しいコンテンツやドラフトの作成、既存コンテンツの編集、追加コンテンツの生成、要約などを実施
	Zoom	会話の文脈やユーザーの指示を基に、メッセージや返信の草案を作成
	Onebox	OpenAIの技術を利用し、短文で指示するとメールを自動生成
営業、マーケティング、広告宣伝	HubSpot	ブログの概要、営業やマーケティングの電子メール、ナレッジベース記事などのコンテンツを作成
	Bring Out	文字起こしをして商談内容を採点、AIが評価。質問の適切性、顧客特性などから効果的な営業になるようアドバイス
	Shopify	商品の特徴を列挙し、通販向けの紹介文を作成。ローコードでのECサイトの開設支援も実施
	Canva	キャッチコピーなどのアイデアを提案。英語やフランス語など5言語で利用可能。同社はオーストラリアのデザインソフト大手
カスタマーサポート	Salesforce	ChatGPTを利用し、会話の要約、営業メールの下書き、調査ツール、執筆支援、ローコードツールなどを提供
	弁護士ドットコム	法律相談サービスでAIが回答。Professional Tech Labを創設し、言語モデル、AIの活用を検討
	ノットアホテル	Google CloudとGPT-3.5系（OpenAI）の技術を組み合わせ、観光地や宿泊先の情報をAIが紹介

図表3-3　製造・建設業向け製品・サービスのGenerative AI実用化例（予定を含む）

分野	企業事例	事例など
材料探索	IBM	製造業やエネルギー業界向けなどで実施。コバルトやニッケルに代わる電池向け電解質材料探索で、独メルセデス・ベンツ、電池向け電解液のセントラル硝子と提携
調達	Globality	GPTで作成、AIボットでのユーザーへの質問を通じてプロジェクトの詳細を把握、調達書類を自動作成
合成データ作成	Parallel Domain	自動運転車用の合成データ、モデル提供。クライアントにトヨタ自動車を含む
製品設計	Autodesk	現代自動車（韓国）向け、車の部品を効率的に設計。欧州エアバス向けに、小型機A320のパーティション開発。45％軽量化、95％原材料削減、燃費向上
建築、インフラ設計	Archistar	ソフトウエアプラットフォームで、複数の建物を設計して比較、環境分析や資金的に実現可能なモデル作成
	Transcend	シミュレーションや機器選定、建物モデル設計可能な自社ソフト、ごみ処理施設や発電所設計時間90％短縮
コード生成、プログラミング	Microsoft、GitHub	作りたいプログラムに対してコードを提案。ローコードツール「Power Apps」、業務自動化ソフト「Power Automate」利用。トヨタ自動車、花王などが利用

3-2
Generative AI関連の投資と
スタートアップの成長

　Generative AIにおけるスタートアップ企業の成長は、提携・連携の可能性を考える意味でも重要です。どの分野のスタートアップ企業がどのようなステージにあり、ベンチャーキャピタルなどがどこに投資しているかを分析することは、今後のGenerative AIの成長分野、成長の方向性を見極めるのに役立ちます。

　CB Insightsの調査では、2022年はGenerative AIを手掛けるスタートアップへの投資が最も多かった年で、株式発行による資金調達が110回実施され、調達額は26億ドルを上回ったとされています（**図表3-4**）。ただし、Generative AIはまだ黎明期にあり、対象とされた250以上の企業のうち33%の企業は株式発行による外部からの資金調達を行っておらず、51%がシリーズAかそれ以前の段階にある状況です。

　スタートアップ企業のうち、2023年第1四半期段階で13社が10億ドル以上の企業価値を有するユニコーン企業で、2022年時点の6社から倍増しました。中でもChatGPTを開発したOpenAIが290億ドルと断トツの企業価値を有しています（**図表3-5**）。

　次に示すのはOpenAI以外のユニコーン企業です。

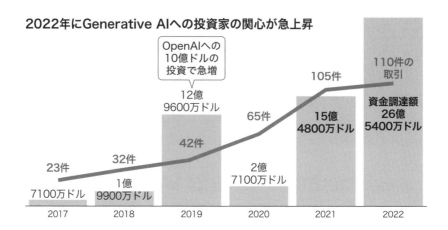

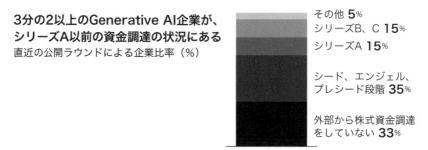

図表3-4　Generative AIへの投資と投資ステージ（2022年時点）
出所：CB Insights,2023.,"The state of generative AI in 7 charts." (https://www.cbinsights.com/research/generative-ai-funding-top-startups-investors/)

- Anthropic（OpenAIの元メンバーによって設立され、言語モデルを開発）
- Cohere（元Google研究者によって設立され、自然言語処理を行うカナダの企業）
- Hugging Face（機械学習アプリケーションを作成するためのツールを開発）
- Lightricks（動画および画像編集のモバイルアプリを開発）
- Runway Research（単語と画像を使用、既存ビデオからビデオ生成）

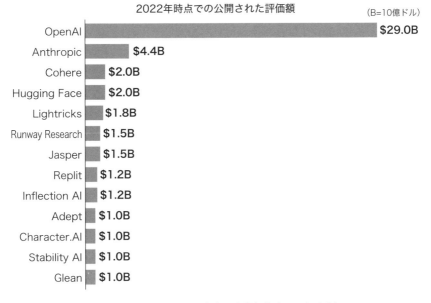

最も評価額の高いGenerative AI企業

2022年時点での公開された評価額

(B=10億ドル)

OpenAI	$29.0B
Anthropic	$4.4B
Cohere	$2.0B
Hugging Face	$2.0B
Lightricks	$1.8B
Runway Research	$1.5B
Jasper	$1.5B
Replit	$1.2B
Inflection AI	$1.2B
Adept	$1.0B
Character.AI	$1.0B
Stability AI	$1.0B
Glean	$1.0B

図表3-5　Generative AI企業の企業価値（2022年時点）

出所：CB Insights,2023.,"The state of generative AI in 7 charts." (https://www.cbinsights.com/research/generative-ai-funding-top-startups-investors/)

- Jasper（マーケティング向けAIライティングツールを提供）
- Replit（チャット形式でのエラー文解析、ブラウザーでのプログラミング環境構築）
- Inflection AI（パーソナルな対話型AI、チャットボットの開発）
- Adept（OpenAI元メンバー設立、テキストコマンドをアクションに変換）
- Character.AI（カスタマイズ可能なAI人格を生成できる対話型AIの開発）
- Stability AI（画像生成AIの「Stable Diffusion」を開発）
- Glean（企業向けWeb検索プラットフォームを提供）

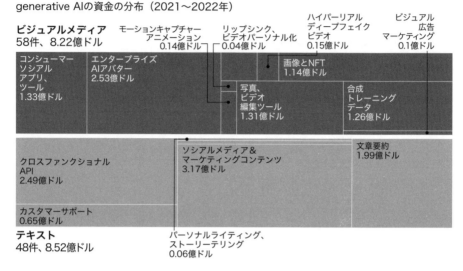

Generative AIの資金流入先
generative AIの資金の分布（2021〜2022年）

図表3-6　Generative AIの資金の流入先の分布

出所：CB Insights,2023.,"The state of generative AI in 7 charts."（https://www.cbinsights.com/research/
generative-ai-funding-top-startups-investors/）

　AnthropicとCohereは、OpenAIまたはGoogleの元メンバーによって
開発され、言語モデル開発、自然言語処理を行う企業として注目されます。
また、Runway Researchは動画生成、Replitはプログラムコード生成を
行う企業として注目されます。Inflection AIとCharacter.AIはChatGPT
に競合するチャットボットを開発していますが、よりパーソナルもしく
はカスタマイズ可能といった特徴を有しています。さらに、Adeptは
OpenAIの元メンバーが設立し、テキスト生成のみでなく、アクションま
で行うことを目指しています。

　Generative AIに関する資金は、テキストに8.52億ドル、ビジュアルメ
ディアに8.22億ドル、生成インターフェースに5.86億ドル、音声関連に2.12

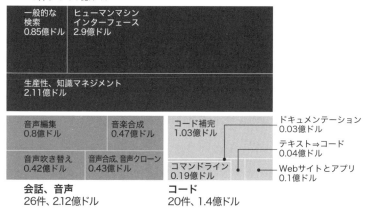

生成インターフェース
20件、5.86億ドル

| 一般的な検索 0.85億ドル | ヒューマンマシンインターフェース 2.9億ドル |
| 生産性、知識マネジメント 2.11億ドル | |

| 音声編集 0.8億ドル | 音楽合成 0.47億ドル |
| 音声吹き替え 0.42億ドル | 音声合成、音声クローン 0.43億ドル |

会話、音声
26件、2.12億ドル

コード補完 1.03億ドル

コマンドライン 0.19億ドル

コード
20件、1.4億ドル

ドキュメンテーション 0.03億ドル
テキスト⇒コード 0.04億ドル
Webサイトとアプリ 0.1億ドル

億ドル、コードに1.40億ドル流れ込んでいます（**図表3-6**）。ChatGPTに代表されるテキスト関連が最も多いですが、画像・動画関連、インターフェース関連も多いことが注目されます。この動向は今後のビジネスの方向性を見極めるためにも重要と考えられます。

3-3
アウトプット類型別参入企業の特徴

（1）概要

　Generative AIの参入企業例を、テキスト・コード・画像・動画・音声、音楽といったアウトプットに分けて示します（**図表3-7**）。

図表3-7　Generative AIのアウトプットを含む参入企業例
（開発・テスト段階を含む、網は国内企業）

アウトプット	類型	提供機能	企業名	企業、事業概要
テキスト	テキスト→テキスト（一部画像→テキスト）	チャットボット（汎用型、ツール、モデルとしても利用）	OpenAI (ChatGPT)	GPT-3、GPT-4利用。最も多くの企業内業務、ビジネスアプリに利用
			Google (Bard)	言語モデルLaMDAを活用、Web上の情報を利用
			百度（バイドゥ）	中国語に対応する「文心一言（アーニー・ボット）」
			アリババグループ	大規模言語モデル、対話型AI「通義千問」
			Hugging Face	機械学習アプリ、ツール、モデル提供
		チャットボット（業界特化型、カスタマーサポート型）	Harvey AI	法律分野に特化、法的質問に回答、GPT-3活用
			Glass AI	医療分野に特化、医師の診断をサポート
			カラクリ	カスタマーサポート特化型AI、GPT-3も活用

アウトプット	類型	提供機能	企業名	企業、事業概要
テキスト	テキスト→テキスト（一部画像→テキスト）	キャッチコピー、ライティング	Jasper	多言語対応ライティングツール、OpenAIの技術活用
			Copy.ai	セールス、マーケティング向けなどのライティング
			デジタルレシピ	AIコピーライティングツール提供、GPT活用
		コンテンツ作成	Easy-Peasy.AI	ブログ記事の自動作成、GPT-3.5活用
			Faber Company	各社のWebサイトコンテンツ案など提案、GPT-3活用
	音声→テキスト	音声認識	OpenAI（Whisper）	音声認識、文字起こし
			Assembly AI	音声文字起こし
	動画、音声→テキスト	要約	Sonix	音声文字起こし、要約、箇条書きの作成
			Gunosy（グノシー）	動画コンテンツを文章に自動要約、GPT-3活用
コード	テキスト→コード	コーディング	Microsoft（GitHub Copilot）	GitHubとOpenAIが開発、コード生成、補完
			Replit	チャット形式でエラー文の解析が可能
画像	テキスト→画像	画像生成（汎用）	OpenAI（DALL-E2）	生成された絵の商用利用を認めている
			Midjourney	用途に合わせたイメージ作成、制限枚数まで無料
			Adobe（Firefly）	著作権の問題がないコンテンツに限定
			Canva	日本語からの画像生成が可能
		デザイン	Galileo AI	WebUIデザインを文章から生成
			Stockimg AI	ポスト、ブックカバーなどのデザインの生成
		プレゼン資料生成	Magical Tome（Tome）	テキスト入力からのプレゼンスライド作成

（次ページに続く）

アウトプット	類型	提供機能	企業名	企業、事業概要
画像	画像→画像	画像編集	Picsart	画像を文章の指示で編集
			Booth.ai	元画像と文章からの商品画像の作成
	音楽→画像		WZRD	音楽によって画像が変化
動画	テキスト→動画	動画生成	Meta (Make-A-Video)	数行のテキストからのビデオ生成
			Google (Imagen Video)	同社はより長い動画生成を行うPhenakiも発表
			InVideo	コンテンツやアイデアをビデオに変換
	動画→動画		Runway Research (Gen-2)	単語と画像を使用、既存ビデオからビデオ生成
		動画編集	Google (Dreamix)	映像内の犬を猫に変えるなど動画の編集が可能
音声、音楽	音声→音声	音声クローン	Resemble AI	音声クローン生成、人間の音声と合成音声ブレンド
	テキスト→音声	音声合成	Microsoft (VALL-E)	3秒間の録音で、パーソナライズされた音声を合成
			Storyteller.ai (FakeYou)	ディープフェイク技術活用テキスト読み上げ音声変換
			LOVO AI	AI音声ジェネレーターとテキスト読み上げ
			CoeFont	AI音声プラットフォーム提供、東工大ベンチャー
		作曲	Google (MusicLM)	テキストから音楽を生成するモデル
	音楽→音楽		AWS (Deep Composer)	メロディーやサンプル入力から作曲、GAN利用
	画像、動画→音楽		Melobytes	画像、ビデオからの音楽生成
	独自音生成	音楽用独自音生成	ソニーコンピュータサイエンス研究所	AIでドラム音を生成する技術「DrumGAN（ドラムガン）」を開発

この表から、以下のことが指摘できます。

第一に、テキスト、画像に関する汎用的なモデルの代表的な提供企業として、一部開発中を含みますが、OpenAIとGoogleを挙げることができます。Microsoftは、コード生成、音声合成に強みを有し、OpenAIと連携することで非常に大きな強みをもっていると考えられます。

第二に、ChatGPTに代表される「テキスト→テキスト」のGenerative AIへの参入企業が多いのですが、コード、画像、動画、音声などのアウトプットに関するサービスも、スタートアップを含めて既に多くの企業が参入しています。また、入力はテキストをベースとした参入企業が多いのですが、入力が画像、音声などの事例も多く、マルチモーダル化が既に進みつつあります。

第三に、日本企業は多くなく、海外で作成している企業のカオスマップではほとんど取り上げられていません。

一方で注目すべき動向として、中国企業が挙げられます。ChatGPTのような対話型AIを発表しているのは、2019年ごろから大規模言語モデルに取り組んでいた百度（バイドゥ）とアリババグループです。大規模言語モデル自体はテンセント、ファーウェイ、センスタイムなど計10に近い企業で開発されているとみられます。ChatGPTが中国で使えないという状況に対応した動きともいえますが、独自の大規模言語モデルを持たない日本と比較してある意味驚きではあります。百度もアリババもテキストのみでなく、音声や画像ベースでのマルチモーダル対応で開発を進め、大企業のビジネス向け、教育・EC（ネット通販）などの用途を重視しているとされます。GPUのような半導体チップの調達をどうするのか、基盤モデル上でのアプ

リ開発が進むのかどうか、当局が規制や産業振興にどう対応するのか、と
いった疑問点はありますが、今後の動向を注目すべきといえます。

　以下、類型別に詳細に解説します。

（2）テキストベース

①テキスト→テキスト

　大規模言語モデルをベースとした対話型AIにおいては、OpenAIの
ChatGPTが現状で優勢にあるのは言うまでもありません。短期的にこれ
に対抗できるのは、GoogleとHugging Faceと考えられます。Googleは
Microsoftへの対抗という点とともに、有力な大規模言語モデルを持ち、
テキストベース以外のGenerative AIでの開発も進んでいることから、検
索サービスやビジネス向けのクラウドツール「Google Workspace」への
導入を進めると考えられます。

　一方、Hugging Faceは、もともとチャットボットを開発する企業とし
て設立されましたが、2022年に大規模言語モデルを開発し、2023年3
月にAmazon Web Services（AWS）との提携を発表し、AWSの顧客が
Hugging Faceの製品を利用できることから、注目されるようになりました。
また、中国企業の百度（バイドゥ）とアリババの動向は、上述した通りです。

　このような汎用型の基盤モデルを利用したチャットボットのような対
話型AIを活用しつつ、いかにその用途を拡大させるアプリを開発して
いくかがスタートアップ企業などにおいて重要になります。この点では、
現状ではOpenAIの大規模言語モデルのGPT-3やGPT-4、またそれを活
用したChatGPTが多く使われているのが現状です。

実際、テキストベースでアプリ開発を進める日本企業のほとんどは GPT-3を活用しています。ただし、米国などの海外企業では、社内利用を含めて既にGPT-4がかなり活用されているところを見ると、日本企業の現状は遅れていると思われます。

　汎用型の基盤モデル、対話型AIを活用することで、学習するデータを特定の領域として専門性を高めたり、特定顧客向けのカスタマーサービス的な方向を目指したりすることは、スタートアップ企業などの事業展開の一つの方向です。このような企業の中には、自社で独自の基盤モデルを構築している企業も見られますが、海外では法律や医療分野での対話型AI開発、サービス提供を行う企業が見られます。これは法律や医療分野は専門性が高く独自のデータが必要な一方で、実業務への適用では弁護士や医師の関与が法規制上も必要であり、人間とAIの役割分担をしやすく、またユーザー層を拡大する可能性もあるためとも考えられます。

　専門特化型のチャットボット以外では、多言語対応のライティングツールやキャッチコピーの提供、ブログ記事やWebサイトコンテンツ作成などを行う企業が日本企業も含めてかなりあり、OpenAIのGPT技術を利用する企業の比率が高いです。

②音声、動画→テキスト
　音声認識ツールでは、OpenAIのWhisperがよく知られています。そのような音声認識ツールを利用し、音声からの文字起こしツールやサービスを提供する企業がかなりあります。日本企業のGunosyは、GPT-3技術を活用し、動画コンテンツを数行程度の文章に自動要約して記事化するサービスを、テスト版ですが提供しています。

(3) コードベース

　GitHubとOpenAIが開発し、Microsoftが提供するGitHub Copilotが最もよく知られています。GitHub Copilotは、コーディングの支援をする機能以外に、一部の機能ではGPT-4も採用し、チャットインターフェースを表示してAIに質問したりAIに助けてもらったりできる機能、音声による指示機能も追加されています。Replitもチャット形式でエラー文の解析が可能です。

(4) 画像ベース

①テキスト→画像

　テキストから画像を生成する代表的なAIサービスは、OpenAIのDALL-E2、Midjourney、Stability AIのStable Diffusionです。ビジネスモデルとしては、無料サービスの範囲、作成物の商用利用などに特徴があります。この点では、AdobeのFireflyは、自社が運営するAdobe Stockに登録済みの著作権に問題がないコンテンツに限定していることに特徴があります。Canvaは、日本語からイメージを生成する機能を追加しています。

　以上は特定の目的を有しない汎用的な画像生成AIですが、特定の目的でデザイン生成などを行うサービス、ツール提供を行う企業もあります。例えば、テキストからWebUIデザインを行うGalileo AI、ポスト、ブックカバーなどのデザインの生成を行うStockimg AIが挙げられます。

　また、カスタマイズされたDALL-Eを利用し、テキスト入力からプレゼンスライドを作成するMagical TomeのTomeのようなサービスもあります。

②画像→画像、音楽→画像

　画像を文章の指示で編集するPicsartや、元画像とテキストから商品画像を提供するBooth.aiのような企業があります。また、音楽からのイメージ画像生成は、市場性は不明ですが、音楽によって画像が変化するサービスをWZRDが提供しています。

(5) 動画ベース

①テキスト→動画

　Metaは数行のテキストビデオを作成できるMake-A-Videoを、またInVideoは、コンテンツやアイデアをビデオに変換するサービスを発表しています。Googleの研究部門Google Researchは、文章から画像を生成する「Imagen」に基づき、短い文章から動画を生成するAIシステム「Imagen Video」を発表しています。同社はストーリー性のある動画を生成できるAIシステム「Phenaki」も発表し、その2つを組み合わせることも考えられます。

②動画→動画

　Stable DiffusionをStability.AIと共同開発したRunway ResearchのGen-2は、単語と画像を使用し、既存ビデオからビデオ生成しますが、テキストのみからビデオを生成することもできるとしています。Google Researchの研究者らは、テキストのみで映像内の犬を猫に変えるといった動画の編集が可能という研究論文を発表しています。

(6) 音声ベース

①テキスト→音声

　Resemble AIは、AI音声ジェネレーターを使用した音声合成、また実

際の音声を録音し、人間の音声と合成音声をブレンド、20万以上の音声で毎月200万分（3.3万時間）以上の音声を提供しているとしています。

Microsoftは、わずか3秒のオーディオサンプルのみでその人の肉声を生成するVALL-Eを発表しています。VALL-Eは、Metaが2022年10月に発表したEnCodecというAIを使った音声圧縮技術をベースにした言語モデルを使用しています。

Storyteller.aiのFakeYouは、同社のディープフェイク技術を使用して、お気に入りのキャラクターが言いたいことを言う音声やビデオを生成するツールを発表しています。

LOVO AIは、AI音声ジェネレーターとテキスト読み上げ機能を生かし、50万件以上の実績があるとしています。

日本の企業では、東工大ベンチャーであるCoeFontが、AI音声プラットフォーム提供、オーディオブック作成、アバター音声生成、官公庁の研修サービスへの活用、AI画像解析機器への組み込み、スマートフォン用AI通訳アプリへの採用などを行っています。また同社は、声帯摘出手術やALSなどの病気などで、声を失う可能性のある方々に対して無料でサービス提供を行っています。

②テキスト→音楽（作曲）

Googleは、延べ28万時間の音楽で構成されたデータセットでトレーニングしているとされる、テキスト記述から音楽を生成するモデルMusicLMを発表しています。MusicLMは、2023年1月の論文発表時、研究チームはトレーニング用のデータセットに著作権で保護されたコンテ

ンツが組み込まれる可能性があり、倫理的な課題があるとしてリリースする計画は当面ないと述べていましたが、倫理的課題をクリアしたデータセットでトレーニングして公開するとしています。

③音楽→音楽（作曲）

AWSは、敵対的生成ネットワーク（GAN）を用いて、サンプル入力に基づいて新しいオリジナルのデジタル作品を作成できるDeepComposerを発表しています。

④画像、動画→音楽（作曲）

Melobytesは、画像や動画を音楽に変換するツールを発表しています。

⑤音楽用独自音生成

ソニーコンピュータサイエンス研究所（ソニーCSL）は、AIでドラム音を生成する技術「DrumGAN（ドラムガン）」を開発したことを2022年6月に発表しています。同社は、2019年にはAI楽曲制作支援ツールFlow Machinesを開発して提供、DrumGANは音楽制作プロセスを検討する中で開発した技術としています。DrumGANはニューラルネットワークを使ったオーディオ生成技術を用いていますが、これはリアルに見える人間の顔写真を生成する技術と同様としています。

ソニーグループは2019年ごろから生成モデルの研究に着手、2022年には新型の深層生成モデルの自社開発につながる、高品質な生成結果をもたらす拡散モデルの新しい学習方法の開発に成功するなど、音楽、映画、ゲーム業界などへの活用を想定した今後の動向が注目されます。

3-4
Generative AI関連のMicrosoftの取り組み

本節では、MicrosoftにおけるGenerative AI事業の概要を示します。

(1) AI関連の取り組み

図表3-8は、2018年以降のMicrosoftによるAI関連の主な取り組みです。MicrosoftにおけるAIの研究開発、及びAzure上でのAI機能の提供はかなり以前から行われていました。Generative AIに絞ると、2019年のOpenAIとのパートナーシップから本格化し、既に多くのOpenAI実装済み製品が実現しています（一部開発中）。

(2) OpenAIモデルのある6つの分野

MicrosoftのOpenAIモデル実装済み製品を見ていきましょう。既にOpenAIモデルが多く実装されていますが、領域別に注目される製品化事例は以下の6つです。詳しくは、章末のインタビューを参照してください。

①インフラストラクチャー
OpenAI実装の基盤となる部分です。

②デジタル、アプリのイノベーション
GitHub Copilotが、コンピュータープログラムの自動補完を実現します。

③データとAI

Azure OpenAI Serviceは、GPT-3、GPT-4などのOpenAIの機能を組み込んだサービスです。ビジネスインテリジェンス機能を提供するPower BIは、データをビジュアル化し、そのビジュアル化をアプリにシームレスに取り込める製品です。

図表3-8　MicrosoftによるAI関連の取り組み（Microsoft資料、公表情報を基に作成）

年月日	内容
2018年1月	責任あるAI　6つのAI原則の発表
2019年7月	OpenAIとの戦略的なパートナーシップの発表
2020年6月	大規模言語モデルGPT-3 OpenAI APIの発表
2021年4月	Nuance Communicationsの買収発表
2021年6月	GitHub Copilotの発表
2021年8月	OpenAI Codexの発表
2021年11月	Azure OpenAI Serviceの発表
2022年5月	Metaとの戦略的パートナーシップ
2022年6月	GitHub Copilotの正式提供開始
2023年1月16日	Azure OpenAI Service正式サービス開始
2023年1月23日	OpenAIとのパートナーシップの拡大
2023年2月3日	Teams Premium、Viva SalesへのGPT-3モデル搭載
2023年2月8日-2月28日	Bing、Edge、Skypeに対話型に特化した次世代モデルを搭載
2023年3月1日	WindowsへNew Bing組み込み
2023年3月6日	Microsoft Dynamics 365 Copilotの発表
2023年3月9日	ChatGPTがAzure OpenAI Serviceでの利用が可能に
2023年3月17日	Microsoft 365 Copilotの発表
2023年3月21日	Azure OpenAI ServiceでGPT-4が利用可能に
2023年3月22日	GitHub Copilot Xの発表
2023年5月4日	対話型AIを搭載した検索エンジンBingを一般公開
2023年5月23日	6月に対話型AIをWindows11に搭載したWindows Copilotの試験的導入を発表

④モダンワーク

検索エンジンBingにGPT-4を統合しています。

⑤ビジネスアプリケーション

PowerPoint、Word、Excelのほか、実用的なビジネスアプリケーションをほぼプログラミングを必要としない手法で開発できるPower PlatformにOpenAIの機能を統合しています。さらに、Microsoft Dynamics 365 Copilotは、CRMやERPと統合した企業向けのAIサービスで、顧客とのミーティングの書き起こしと、そこから営業担当のアクションリストを自動的に作成する機能や、カスタマーサービスの担当者のために質問に関する回答メールを自動的に作成する機能などを備えています。

⑥セキュリティー

今後実装が進むと考えられます。

(3) 業務に特化したGenerative AIの提供

Microsoftは、金融業、医療・製薬、製造業、流通/小売業などの業界に特化したGenerative AIを提供しています。代表的な事例として、買収したNuanceの音声プラットフォームは、GPT-4を採用した医療従事者向け臨床文書の自動化アプリDAX Expressに入っています。そのほか、自社データを利用する最適化したボット、自社の非構造化データを参照できるナレッジマイニングシステムの構築、ファインチューニングなどの問い合わせがあるとのことです。**図表3-9**はOpenAI機能のユースケースを示しており、中でも次に示す2つが多いとされています。

図表3-9　OpenAI機能とユースケース（Microsoft提供資料を基に作成）

機能	ユースケース
コンテンツ生成	● コールセンター分析（顧客からの問い合わせに対する回答を自動的に生成） ● マーケティングメッセージやタグラインの生成
要約と分類	● コールセンター分析（カスタマーサポートの会話ログの分類） ● 専門文書の要約（例：財務報告書、アナリスト記事） ● ソーシャルメディアトレンドの要約
セマンティック検索	● 特定の製品/サービスのレビューを検索 ● 情報発見とナレッジマイニング ● チャットボットの裏で質問と回答
コード生成	● 自然言語をSQLに変換（またはその逆） ● コードにコメントを追加 ● コードの記述

①コールセンター、コンタクトセンター関連

顧客からの問い合わせ書き起こし、それを要約して分析。

②専門文書の要約やナレッジマイニング

企画書や金融顧客の法務コンプライアンス資料、有価証券報告書のOCR化などによる非構造化データの構造化、その中での検索性向上や要約。

インタビュー：**小田 健太郎 氏**

日本マイクロソフト Azure ビジネス本部 AI GTM マネージャー（以下、敬称略）

AI全般の取り組みと、OpenAIとのパートナーシップ

——御社のAI関連の現在の取り組みや将来的に考えていらっしゃることなど、お話しいただければと思います。どうぞよろしくお願いいたします。

小田：MicrosoftのAIについては、広義でのAI利活用を図っていくMicrosoft AI、そこに包含される、パブリッククラウド上でパーツとして提供するAzure AIの2つが主に言及されます（**図表3-10**）。

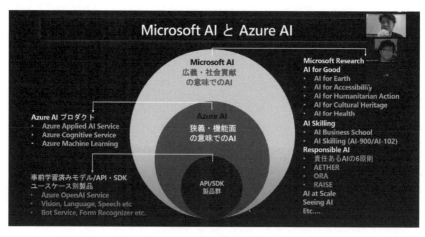

図表3-10　Microsoft AIとAzure AI（資料提供：日本マイクロソフト）

Microsoftには、Microsoft ResearchというAIを含む先端技術の基礎研究とR&Dを行う組織があり、ChatGPT関連ではBioGPT[※1]、Kosmos-1[※2]、VALL-E[※3]、Florence[※4]など、同組織が基礎研究、開発し学習させているモデルがあります。

※1 Microsoft Researchが生物医学分野に特化し開発したAI。膨大な量の医学文献でトレーニングされ、生物医学分野の質問に答えるタスクに特化
※2 自然言語だけでなく視覚的なコンテンツも認識し、画像と文章を組み合わせた質問にも回答することができるAIモデル
※3 3秒分の音声だけでその人の声をまねるAI
※4 視覚認識のための次世代フレームワークを開発するプロジェクト

　Microsoft全体のAIに関する取り組みとしてのMicrosoft AIには、社会貢献や文化保全にAIを使っていくAI for Goodという取り組みが含まれます。さらに、AIの取り組み全般に対して、「責任あるAI」という原則で、適切にサービスが提供され、倫理的にユーザーが利用しているのか、設計開発段階から全社横断的にコミットしています。

　Azure AIでは、主にAIをAPIやパーツとして組み込む部分を指すことが一般的です。ただ、これは明確な区分というよりは、このAzure AIの機能が実装にも使われるということです。

　また、昨今話題になっているOpenAI関連のサービスについては、Azure OpenAI Serviceがリリースされてから、いわゆるOpenAI自体を指す文脈か、Azure AI製品の話なのか、またはOpenAIのモデルWhisper[※1]やgpt-3.5-turbo[※2]の件か、単語だけではどの件を指しているのか判断が難しい場合があります。便宜上、本日はOpenAI.com側のAPI/Webサービスを利用する際を"無印"と呼称しますが、無印側のAIを使っていただいていても、後述するセキュアな環境へのニーズの観点からAPIのエンドポイントを切り替えてAzure AIの方に来ていただくケース

も多いです。

OpenAIとのパートナーシップ

　Microsoftが AIをサービスに活用していく中で、OpenAIとのイニシアチブが重要な取り組みの一つです。このパートナーシップは2019年に始まっていますが、OpenAIのCEOのサム・アルトマンとMicrosoftのCTOのケビン・スコット、CEOのサティア・ナデラが会ったのはその1年ぐらい前で、非常に速いスピードで企業のパートナーシップにつながっています。

　このパートナーシップの主な内容はいくつかあります。まずMicrosoftからの大規模投資を前提にした自然言語の大規模モデル開発、コンピューティングリソースをMicrosoftから提供し継続的に実施する共同開発、GPT-3や今後出てくる次世代モデルの独占的なライセンスの保持で、両社の合意に基づいています（**図表3-11**）。

　このパートナーシップに基づき、GPT-4やChatGPTの学習基盤として、OpenAIではMicrosoft Azureというパブリッククラウドをプライマリークラウドとして使っています。様々な製品にOpenAIのGPTを学習したモデルが実装されていますが、その基盤はAzureということになります。OpenAIは、パートナーでもあり、インフラリソース、コンピューティングリソースとしてAzureを使うユーザーでもあります。Azure上で学習、ファインチューンされたモデルが、Microsoftの製品に組み込まれています。

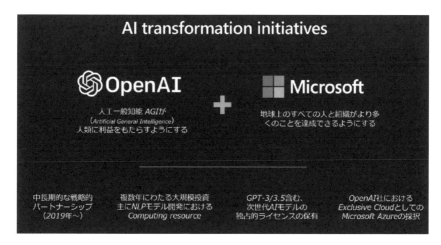

図表3-11　OpenAIとMicrosoftのパートナーシップ（資料提供：日本マイクロソフト）

AIへの注力に関する過去からの沿革

　Microsoft自身、AIの基礎研究に関する長い歴史があります。過去30年、Microsoft Researchはこの分野で投資をしています。例えば音声プラットフォームのNuanceの買収、Metaとの戦略的パートナーシップなど、他社との連携も進めてきました。OpenAIが2020年にGPT-3を発表した後から、Codex[※1]やGPT-3を各製品に徐々に、GitHub、ローコードプラットフォームのPower Automate[※2]など、OpenAIのモデルを当社の製品に実装し始めています。

※1 OpenAI Codexは、OpenAIが開発した人工知能モデルで、自然言語を解析し、対応するコンピュータープログラムを生成できる
※2 業務の自動化ツール

　2023年の1月から、ラッシュのように実装が始まっています。MicrosoftのファミリーにもなったGitHubのGitHub Copilot Xをはじめ、Azure OpenAIでGPT-4が使えるようになったり、OfficeにCopilotを組み

込んだりしています。このように、OpenAIとのパートナーシップを通して、これからもMicrosoftは、製品やサービスにAIを組み込んでいく予定です。

OfficeへのGPT-4導入など、すべての製品にAIを載せていく

CEOのサティア・ナデラがすべてのMicrosoft製品にAIを載せていくと2023年の1月に明言しました。現状を整理したのが**図表3-12**です。

Microsoftがお客様に提供するいわゆるクラウド基盤Microsoft Cloudを6分野に分け、それぞれにおけるAIの組み込みを整理したのが**図表3-13**です。

——パワフルで、猛烈なパンチの応酬という感じに見えます。GitHub、

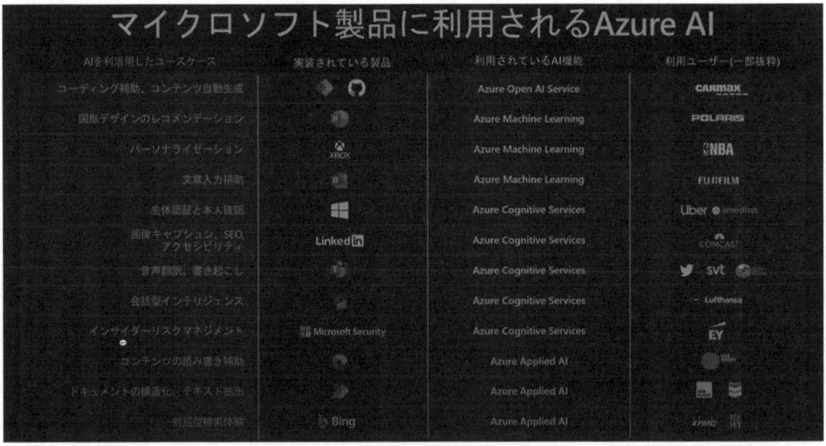

図表3-12　Microsoft製品に搭載されるAI（資料提供：日本マイクロソフト）

図表3-13　OpenAIモデル実装済み製品（資料提供：日本マイクロソフト）

Power BI※もパワフルですし、このエコシステムは大きく世界を変えそうです。

※ 主にビジネスインテリジェンス（BI）に対応し、データをビジュアル化し、そのビジュアル化をアプリにシームレスに取り込める製品

　ありがとうございます。Microsoft 365 Copilotは、お客様の生産性に与える影響は大きいのではないでしょうか。ほかにも開発者向け製品や、業種別ごとにご利用いただけるビジネスアプリケーションの領域では、主にマーケティング、営業、カスタマーサクセスなどに最適化したCopilot機能を包含している製品です。

　お客様向けシナリオの6分野に製品を分類していますが、今後、業種別やワークロード別に特化した製品実装が進む予定です。

　早い段階で実装されたPower BIや、ローコード製品Power Platform※

には、GPT-3が組み込まれています。GitHub Copilot XとかMicrosoft 365 Copilot、Bingは、GPT-4が組み込まれており、市場からの注目度も高いです。GPT-4をそのまま組み込んでいるわけではなく、Microsoft 365 Copilotではビジネスユースケースに、Bingでは検索に最適化しています。

※ 実用的なビジネスアプリケーションをローコーディング（ほぼプログラミングを必要としない手法）で開発できるPower Appsに加え、Power Automate、Power BIの機能を含む

業界特化型でのAI導入

また、Microsoftは、金融、流通/小売業、ヘルスケア、製造業、サスティナビリティ、NPO向けに、それぞれの分野における業務に特化したインダストリークラウドを提供しています（図表3-14）。

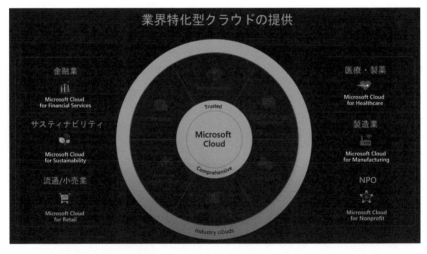

図表3-14　業界特化型クラウドの提供（資料提供：日本マイクロソフト）

直近では、買収した音声プラットフォームのNuanceのプラットフォームがヘルスケア向けのDAX Express※に入っており、今後も各分野でのAI活用を進めていきます。

※ OpenAIのGPT-4採用の医療従事者向け臨床文書の自動化アプリ。Microsoft Cloudを中心とした6つの領域にインダストリークラウドを加えて、市場に最適な形でAIを提供する

ChatGPTを中心にした顧客との関係

　お客様から特に問い合わせが多いのがChatGPTです。いったい何ができるのかというのが、お客さんからの問い合わせとして非常に多く寄せられています。GPT-4がすごいらしいが、何ができるか？という質問をきっかけに、Azure OpenAI Service、Azure AIをパーツとしての組み込みをご紹介しているところです。

　もともとAIの基礎研究を行っている組織、AI開発者、データサイエンティストがいるようなお客様に関しては、ファインチューニングできるかとか、もう一歩踏み込んだ話が来ます。社内のデータを学習して自社に最適化したボットや、自社の非構造化データを学習させてすぐにリファレンス参照できるナレッジマイニングシステムを作りたいなど、具体的な相談が来ます。

　非常に問い合わせが多いのが、"無印"OpenAIとAzure OpenAI Serviceの違いについてです。上記で触れた実装済み製品群には、Azure OpenAIを通してモデルを組み込んでいます。インフラレベルでは、"無印"OpenAIとAzure OpenAIができることや、使用するモデル、料金も一緒なので、お客様にとって違いが分かりにくいというのが正直なところです。例えば、新しいモデルは、"無印"OpenAIには先に導入され、Azure OpenAIにはその後約2週間で導入されますが、徐々にこの

リードタイムは短縮されており、GPT-4は発表されてから1週間でAzure OpenAIに導入されました。

　現在、Whisperなどの例外を除き、Azure OpenAIでは、GPT-3/3.5、GPT-4、Codex、DALL-EとDALL-E2※、ChatGPTの5モデルが利用できます。
※ DALL-E及びDALL-E 2とは、自然言語の記述からデジタル画像を生成する、OpenAIにより開発された深層学習モデル

　エンタープライズ企業では、セキュリティー面、閉域網※、認証認可などが課題になりますが、Azure OpenAIでは、こうしたニーズへ対応していることから、Azure OpenAIを選んでいただけるケースが多いです。
※ インターネットに接続されていないクローズドネットワーク

　Azure OpenAIは、どんなユースケースでどういった形で使うかを事前に申請して、許諾が下りて初めて利用いただける申請式で提供しています。スピード重視のスタートアップのお客様からは、もっと迅速に利用したいというフィードバックを頂いていますが、責任あるAIという観点と、どんなユースケースで使っているのか、有害なアプリに使わないように、などの審査を、トリアージ、対処している重要なステップとして、ご理解いただいています。

顧客事例とユースケース

　日本では、パナソニック コネクト様がいち早く、利用を開始されました。スタートアップとしては、note様、PKSHA Technology様、wevnal様の3社が利用を開始しています。

主なユースケースは次の2つです。

1つめはいわゆるコールセンター、コンタクトセンターで、お客さんからの問い合わせを書き起こし、それを要約して経過分析する、従業員の手間を効率化するという、いわゆるコンタクトセンター・アナリティクスです。

2つめは、専門文書の要約とかナレッジマイニングの領域で、企画書や金融のお客様の法務コンプライアンス資料が対象です。有価証券報告書などでOCRを含めて非構造化データを全部構造化して、それをOpenAIに学習させて検索性を上げる、もしくは要約させるというケースも結構多いようです。

加えて、チャットボットでの利用も多く、Microsoftとしても、実装の難度がそれほど高くないコールセンター、マルチマイニング、チャットボットの3つを、今の業務を最適化して効率を上げるためにお客様に提案することが非常に多い印象です（図表3-15）。

図表3-15　OpenAIの機能とユースケース（資料提供：日本マイクロソフト）

今後注力する領域

——答えられる範囲でお願いできればと思います。一つは、今控えているロードマップの先で、どのあたりの領域を今後フォーカスしたいと考えていらっしゃいますか？

　まずは、業種別のインダストリークラウドでの取り組みです。

　次に、Microsoft Cloudにおける6分野でのAI活用の充実です。企業向けではGitHub、Azure OpenAI Service、365 Copilotなどで、コンシューマー向けだとBing、Edge、Skypeなどに組み込んでいるので、そのそれぞれの領域で大きいボリューム、獲得可能な最大市場規模（TAM：total available market）があるところが有望な分野だと考えています。

日本語への対応と検索など、日本における利用の特徴

——日本語の問題にもなりますが、日本語はグローバルではマイナーランゲージです。英語はサンプル数もパラメーターも多いので性能が上がるのは当たり前だと思いますが、今後の日本語対応で、御社として考えていらっしゃる取り組みがありますでしょうか。また、いろいろサービスが増えていく中で、特化型で入れていくこともある気がしますが、そのあたりの方針を聞かせていただきたいです。

　おっしゃる通り日本語に未対応のサービスや機能もあります。特にMicrosoft 365 CopliotやDynamics 365 Copilotのようなロール特化型の製品では、現時点ではプロンプトは英語で書く必要があります。

現在、本社にリクエストしているのは、日本語対応と日本の人員増です。ただし、日本語は漢字、カタカナ、ひらがなの3種類あって独特の表現があるため、例えばメールの自動返信の機能のように、テンプレートがあるとしても、その文脈を読み取ることはなかなか難しいです。GPT-4で劇的に変わることを期待しています。

　一方、Bingでは、日本は主要市場として位置付けられています。これはユーザーからのフィードバックが、日本で極めて多かったこともあります。1人当たりの検索率が日本は世界ナンバーワンで、日本語の精度向上が最大化されています。新しいBingでは、最新のGPT-4を活用したMicrosoftの独自テクノロジーであるPrometheusを使っています。

　開発チームとも、一般的にAIのキャラクターに人格を付与したりする日本独特の使い方はユニークだと話しています。

──なるほど、ネットでその手のネタが結構バズりましたね。こういうふうに使ったらこうなるみたいなことが、結構ありました。

　ChatGPTよりも口語表現が適していて、表現がすごく人間っぽいと同時に、最近のデータで2021年よりも後のネタが拾えるというのは、結構大きかったかもしれないですね。

──ビッグテックとの対抗軸みたいなことで、結構マスコミがあおり、興味がある方が多いと思います。

　そうですね。言語モデルに関する質問が多いかもしれません。どういった製品に何のモデルをどう使っているかという質問が多い印象です。

Officeへの導入で副操縦士的なAI利用、働き方が可能になる

――この本は働き方がテーマになっていますが、OfficeにこのAIが組み込まれると、相当働き方が変わっていく気がします。そのあたりで感じていらっしゃること、御社的にそこで実装されていくことのメリットはどのように捉えていらっしゃいますか。

そうですね、こういうAIがどんどん実装されていくと、やっぱり我々の仕事が奪われるんじゃないか、という話は、また議論が繰り返されるのではないかと思います。

Microsoftとしては、今回の一連の製品への組み込みをCopilot（副操縦士）と呼称しています。あくまでも主は人間で、人間が副操縦士に指示を与えて、人間の生産性を上げて本来注力すべきことに集中するということです。いろんなところでキーワードとしてCopilotという表現があり、すごく私も気に入っています。

今までAIアシスタントという表現があったのですが、Copilotは一緒に運転してくれるけど指示を出すのは人間です。プロンプトエンジニアリングのように、こちらがいかに明示的な指示を与えられるかで、この動きは不可逆になると思っています。今はスペルチェックとかは勝手にやってくれ、一度体験するとなかなか元には戻れません。Microsoft 365 Copilotに入ってOfficeで使えるようになった場合は、プロンプトスキルもそうですし、いかに有効な質問をそこに投げ、AIに仕事を取られるのではなくAIと伴走して我々の生産性を上げ、より多くのことをできるようにするのが、Copilotという表現でのMicrosoftとしてのメッセージです。個人的にもそう思いますし、お客様から問い合わせもそのようなこ

とが多いです。

　GitHub Copilot、Microsoft Dynamics 365 Copilotもそうですが、基本的にプロンプトを打つところだけが空いていて、こちらが指示を出さないと何も始まりません。Copilotという表現もそうですし、こちら側のアクションがないと何もないというところがあるので、オートメーションでAIが勝手にやるという感じではないと個人的にも思っています。

　──オードリー・タンさんとの対談で、AIをArtificial Intelligenceではなく、Assisted Intelligenceと言った方がいいとおっしゃっていました。まさにCopilotだと思うんですけど、その方がみんなに理解される気がします。私は前職ビッグテックにいたのですが、売り上げ予測、人事などいろんな業務にAIが既に入っていて、非常に便利でした。日本企業も同様のことを推進しないとまずいと思い、松尾先生とAI経営講座を立ち上げました。まさにパナソニックさんはCEOのリーダーシップにより、素早くChatGPTの業務活用をしていて、素晴らしいなと思っています。

　パナソニック コネクト様では、AIはあくまでも社員のアシスタントという位置付けで、まさにCopillotとして使っています。そしてシナリオ作成や企画書で、何かアイデアの壁打ち相手みたいな位置付けで使っていて、それはすごくいいなと私も思いました。

　私も、正直本社側に提出する資料や膨大な資料、また参照先としてURLが共有されたような場合に、AIを活用して要約することがあり、これはもう元に戻れないと個人的にも思います。

　──本当にそうですよ。自分も使い込んでいますけど、GPT-4になって

から日本語の精度が非常に上がって、ニュアンスをちゃんと解釈してくれます。本当に短い時間で、デベロップメントもこのスピード感たるやすごいと思っています。

企業における導入シナリオは固まりつつある

これまで、新しい技術のトレンドが出てくると、日本市場のモメンタムは後発になってしまうことが多かったのですが、今回パナソニック コネクト様の事例が出たことで、「パナソニック コネクト様の事例を見ました。ああいうことをやれるんですか」とか、お客さんから同じような問い合わせが非常に多く寄せられています。パナソニック コネクト様にも取材や問い合わせが殺到していると聞いています。

紹介したAIの使い方やシナリオは固まってきています。何でもできるといいつつ、実際にビジネスで使おうとすると、3種類くらいのシナリオになります。今最初に使うとなるとこの3つのうちのどれかのシナリオが多分一番実装しやすいケースになっているので、まずクイックに始めてもらい、Microsoftをうまく使ってもらえるといいというのは、パートナーや顧客にも今説明しているところです。

先ほどご説明した通り、このモメンタムは不可逆だと個人的には思っています。パナソニック コネクト様のように、大企業でもすぐに導入し、活用を始めているお客様がいらっしゃいます。お客様にはぜひ、Microsoftと一緒にAIトランスフォーメーションを始めていただければ幸いです。

第
4
章

Generative AIが変える
ホワイトカラーの仕事

4-1
パナソニックグループの導入事例

本章では、企業ユーザーの自社業務利用について説明します。

パナソニックグループでBtoBソリューションの製品・サービスを担当するパナソニック コネクトは、業務生産性向上や社員のAIスキルの向上を目的として、社内AI「ConnectAI」を国内全社員1万2,500人に展開しました。Microsoft Azure上のGPT-3.5で2023年2月17日に開始、3月13日にはChatGPTも開始しています。「ConnectAI」は実質2,000人ぐらいが利用し、1カ月5万回、1日2,600回くらい利用されています（章末のインタビューを参照してください）。

さらに、パナソニックグループは国内全社員9万人に対して、「ConnectAI」を改良したAIアシスタントサービス「PX-AI」を2023年4月から展開しています。

パナソニック コネクトでの取り組み例として資料作成の場合、①情報収集、②収集情報の整理、③ドラフト作成、④仕上げる（判断する）というステップにおいて、人が担うのは④のみとなります。①情報収集は以前から検索エンジンを活用してきましたが、②収集情報の整理と③ドラフト作成はGenerative AIでの対応になります。④はAIの回答が正しいとは限らないこともあり、最後は人が判断するとしており、AIと人の役割分担を明確にしています（**図表4-1**）。

図表4-1 「ConnectAI」による業務生産性向上のイメージ
（パナソニック コネクト資料より作成）

分類	情報収集	収集情報の整理	ドラフト作成	仕上げる（判断する）
これまで（「情報を集める」ところで検索エンジン活用）	人	人	人	人
これから	AI	AI	AI	人

　現段階の注意事項として、情報が最新ではないこと（ChatGPTは2021年9月まで）、社内情報は非対応で公開情報からしか回答しないこと、未来予測はできないこと、英語の方が正確な回答が可能であることを挙げています。

　AIの活用方法は大きく分けて「聞く」と「頼む」があります。「聞く」には、「アドバイスを聞く」「専門知識を聞く」「アイデアを聞く」「ITサポートを聞く」があります。「頼む」には「判断を頼む」「文章作成を頼む」「資料作成を頼む」「プログラムコードの作成を頼む」が含まれます。

　データ分析、デジタルマーケティング、プログラム開発支援には既にかなり利用されています。業務プロセスとして見ると、提案書ドラフトの作成、契約書のチェック、申請書や起案の不備のチェック、業務のリスクチェックなどに今後利用される可能性があるとしています（**図表4-2**）。興味深いのは、経理や法務部門での利用意向が強いことです。

　データ分析の例として、2010年から2020年までの日本のGDPと成長率分析、社内アンケート分析などに活用されています。社内ミーティングの自由記述の分析は、人が実施すると約9時間かかりますが、おおよそ6分で完了したとしています。

図表4-2　「ConnectAI」の活用方法 (パナソニック コネクト資料より作成)

業務	内容
データ分析	● 社内アンケート分析 ● カスタマーセンターログ分析
デジタル マーケティング	● SNS投稿・ブログのドラフト作成 ● コピードラフト作成 ● バナー画像・イラスト作成 ● デジマ・キャンペーン案の作成
プログラム開発支援	● サンプルコードの作成 ● エラーに対する修正アドバイス ● 仕様ドラフトの作成
業務プロセス	● 提案書ドラフトの作成 ● 契約書のチェック ● 申請書・起案の不備チェック ● 業務リスクのチェック

　AI導入が進んだ要因として、社内風土、社長の意思決定とMicrosoft
との関係、導入促進に熱心な社内スタッフの存在、社員がすぐ使えるシ
ステム提供などが挙げられます。

　将来的な方向性として、社内データなどを活用して特定の製造業に強
い専門特化型AIの開発・活用、非定型業務を含む生産性向上などが考え
られ、その基盤としてAIを使いこなす社内カルチャーの醸成と人材の育
成などが挙げられています。

4-2
Generative AIによる雇用への影響

(1) 従来AIの雇用への定量分析

　Generative AIが雇用に与える影響を検討する前に、従来型のAIが雇用に与える影響についての過去の分析と実際の状況を見ていきたいと思います。

　AI、ロボット、IoTなど、次世代技術の急速な発達・普及による第4次産業革命が進展した場合、雇用にどのような影響を与えるかについては、多くの試算が行われました。それらの試算では、労働者がAIなどの次世代技術に代替されるリスクを「代替リスク」と呼び、当該リスクの高い職業や労働者が示されている場合が多く見られます。ただし、これらの試算は以下のような問題を含んでいます。

- 代替可能性が高いのは業務、タスクレベルであり、一気に職を失うことは考えにくい
- 雇用の減少（失われる雇用）と雇用の創出（生まれる雇用）の両方が考えられる

　実際、海外ではAIによる雇用の減少（失われる雇用）と雇用の創出（生まれる雇用）の両方を検討した予測もあります。

　PwCの試算によると、英国で今後20年の間にAIの影響で700万人の雇

用が失われる一方、新規に720万人の雇用が生まれるとしています。ホワイトカラーを中心に見ると「失われる雇用」が「生まれる雇用」を上回るのは金融・保険業で、専門・科学・技術サービス業や情報通信業は「生まれる雇用」が「失われる雇用」を上回っています（**図表4-3**）。

　世界経済フォーラムの報告書『仕事の未来 2018』では、AIやIoTなどのテクノロジーによる第4次産業革命により、2018年から2022年までの間に世界で7,500万人の雇用（事務職などの定型的なホワイトカラーの仕事）が失われる一方、新規に1億3,300万人の雇用（ICT技術や対人コミュニケーションを必要とする仕事）が生まれると試算していました。

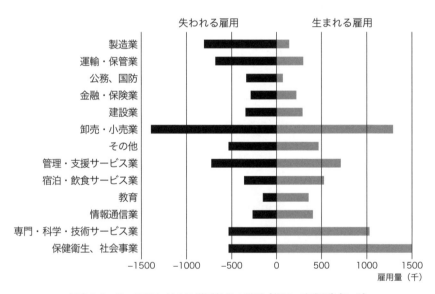

図表4-3　AIの雇用に対する増減効果の推計（英国、産業別）（PwC）
出所：廣瀬淳哉「AI等の技術の雇用への影響をめぐる議論」『レファレンス』831号,2020.4, pp.39-62.
　　　https://dl.ndl.go.jp/view/download/digidepo_11486060_po_083103.pdf?contentNo=1、原典：
　　　PricewaterhouseCoopers,2018.7,. "What will be the net impact of AI and related technologies on jobs in
　　　the UK?" UK Economic Outlook, p.42 (Table4.1)

これらから、AIなどの導入により、事務職などの定型的なホワイトカラーの仕事、雇用は減少する可能性があるものの、一方で新規に創出される雇用も考えなければならないことが分かります。また、特定の職種の業務がすべて失われるとは考えにくい場合が多く、業務、タスク単位での検討が必要なことも指摘できます。Generative AIの利用における検討においても、この視点は必要です。

　米国と欧州委員会（EC）は、2021年9月に開催された米・EU貿易技術評議会で、AIが労働力に及ぼす潜在的な影響を評価するための共同研究に取り組むこととし、2022年12月にそのリポートが示されています※。このリポートはかなり新しいため、ChatGPTのようなGenerative AIの影響についても検討・分析しています。全般に、自動化における以前の技術的進歩は「定型」タスクに影響を与える傾向がありましたが、AIは「非定型」タスクを自動化する可能性があるとしています。

※ https://www.whitehouse.gov/cea/written-materials/2022/12/05/the-impact-of-artificial-intelligence/

　米国では、企業およびその従業員におけるAI利用比率の数値が公表されています（**図表4-4**）。この図から全般的に「企業のAI利用比率より従業員の利用比率が高いこと」が分かります。それは「従業員の多い大企業ほどAI利用比率が高いこと」を意味しています。また、設立年の新しい企業ほどAI利用比率が高いことも指摘されています。業種、職種別にはマネジメント、情報、流通小売、ユーティリティー、輸送、専門サービス、金融など、全般にホワイトカラー比率が高い業務でAI採用率が高いことが指摘できます。

　企業におけるAI採用の理由は、製品やサービスの向上が80％、プロセスのアップグレードが65％、プロセスの自動化が54％です。つまり、AIへ

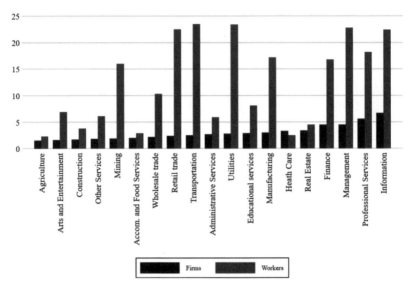

図表4-4　米国における企業、従業員のAI利用比率

出所：TTC-EC-CEA-AI-Report-12052022-1.pdf（whitehouse.gov）、原典：https://www.census.gov/programs-surveys/abs/data/tables

の期待は生産性向上や効率化より、製品やサービスの付加価値化だということです。これは従来のAIに対する結果ですが、Generative AIの対象は非定型や知的作業を含む業務であり、同様の結果になると思われます。

　AI導入を要望する比率は高い一方で、AI導入の最大の障壁は「AIのコストが高いこと」という結果があります。これについては、ChatGPTの一般的な利用では大規模投資が不要で、Generative AIではコストは大きな障壁でなく、導入が進むと考えられます。

　2017年時点では、自然言語処理関連のAI導入企業比率は1.3％と低い結果がありますが、これは自然言語処理技術が米国でも一般的でなかった時期であり、現在同様の数値を取れば、全く違った結果になるでしょう。

（2）日本における雇用の見通し

「日本の労働人口の49％の仕事が将来自動化される」との予測もありますが、AIやロボットによる雇用の自動化可能性に関する統一見解はないようです。ただし、経済産業省の「未来人材ビジョン」によれば、職種ごとの自動化可能確率と雇用者数の分布について、**図表4-5**のような結果が得られています。

職種別には総合事務員、会計事務従事者は自動化確率が100％に近く、この2つの職種の雇用者数は400万人程度を占めます。また、庶務・人事事務員、その他一般事務従事者の自動化率もかなり高いです。これらの職種は必ずしもGenerative AIの機能で代替されるわけではありませんが、ホワイトカラーの中でAIなどに代わられやすい職種といえます。

また、2020〜2050年にかけての職種別の割合の変化率を見ても、販売

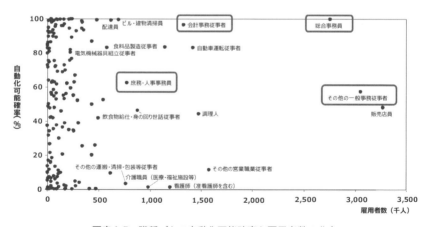

図表4-5　職種ごとの自動化可能確率と雇用者数の分布
出所：経済産業省、2022年5月、「未来人材ビジョン」（https://www.meti.go.jp/press/2022/05/20220531001/20220531001-1.pdf）

従事者、事務従事者は構成比がかなり減る見通しで、AI導入による影響を受けやすいと考えられます。

（3）雇用への影響に関するゴールドマン・サックスのリポート

　ゴールドマン・サックスは2023年3月27日に、Generative AIの経済成長や生産性、雇用に与える影響についてのリポートを公開しています[※]。

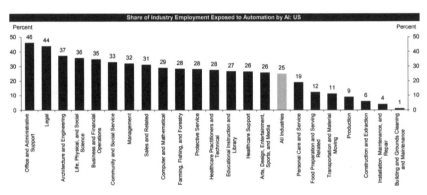

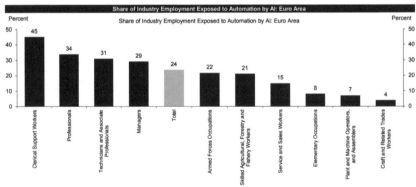

図表4-6　AIによる自動化にさらされている雇用者の比率（上：米国、下：欧州）
出所：Goldman Sachs, 2023.3, "The Potentially Large Effects of Artificial Intelligence on Economic Growth."
（https://www.key4biz.it/wp-content/uploads/2023/03/Global-Economics-Analyst_-The-Potentially-Large-Effects-of-Artificial-Intelligence-on-Economic-Growth-Briggs_Kodnani.pdf）

そのリポートにあるグラフ（**図表4-6〜図表4-8**）から、以下の点が指摘
されています。

※ https://www.key4biz.it/wp-content/uploads/2023/03/Global-Economics-Analyst_-The-
Potentially-Large-Effects-of-Artificial-Intelligence-on-Economic-Growth-Briggs_Kodnani.pdf

- 米国と欧州の職業、タスクに関するデータから、現在の仕事の3分の2
  がAIの自動化にさらされ、Generative AIが現在の仕事の最大4分の1
  を代替できる
- Generative AIは10年間で世界のGDPを7％引き上げる恩恵を与える一
  方、主要な経済圏で3億人規模のフルタイム労働者の仕事が自動化の
  影響を受ける
- Generative AIは10年間で、米国の年間労働生産性を1.5％弱上昇させ
  る可能性がある
- 仕事を奪われるリスクが高い職種は、事務系タスクと弁護士、金融、
  マネジメントなど

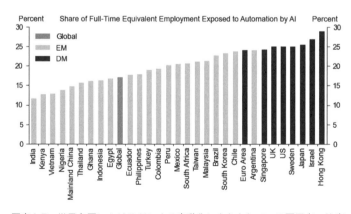

図表4-7　世界各国におけるAIによる自動化にさらされている雇用者の比率

出所：Goldman Sachs, 2023.3, "The Potentially Large Effects of Artificial Intelligence on Economic Growth."
（https://www.key4biz.it/wp-content/uploads/2023/03/Global-Economics-Analyst_-The-Potentially-
Large-Effects-of-Artificial-Intelligence-on-Economic-Growth-Briggs_Kodnani.pdf）

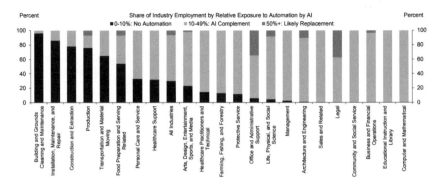

図表4-8　AIによる自動化にさらされている比率

出所：Goldman Sachs, 2023.3, "The Potentially Large Effects of Artificial Intelligence on Economic Growth." (https://www.key4biz.it/wp-content/uploads/2023/03/Global-Economics-Analyst_-The-Potentially-Large-Effects-of-Artificial-Intelligence-on-Economic-Growth-Briggs_Kodnani.pdf)

- より高い能力のAIが導入され、労働移動が起こった方が生産性向上につながる
- 日本はAIが仕事に与える影響では25％。30％近い香港、イスラエルに次いで3位。一方でGenerative AI導入による生産性向上も1.5％程度と3位で米国以上である

（4）大規模言語モデルの職種別影響に関する共同研究

　OpenAIとペンシルベニア大学の研究者による最新の共同研究※によれば、米国の労働人口の約80％はGPTやGenerative AIの導入によって少なくとも仕事の10％が影響を受ける可能性があり、米国の労働人口の約19％は、仕事の50％以上が影響を受ける可能性があるとされています。LLM（大規模言語モデル）は、米国のすべてのワーカータスクの約15％を同じレベルの品質で大幅に迅速に完了することができ、LLMの上に構築されたソフトウエアとツールを組み込むと、このシェアは全タスクの47

〜56%に増加すると試算しています。

※ GPTs are GPTs: An Early Look at the Labor Market Impact Potential of Large Language Models（https://arxiv.org/pdf/2303.10130.pdf）

　特に高収入で学位が必要な職種ほど影響が大きく、また、GPTが3（3.5）から4に移行したことでもその能力が高まっており、ホワイトカラーへの影響は今後一層大きくなると考えられます。影響が大きい職種として、税理士、数学者、金融データアナリスト、ライター、通訳・翻訳者、Webデザイナー、広報スペシャリスト、法務秘書、事務アシスタント、会計士などが挙げられています。

　ただし、影響が大きいことは、その職種がなくなってしまうことではないとされ、業務内容の変化や見直しの可能性も示唆されています。全般にプログラミングと文書作成の仕事においてGenerative AIの影響が大きく、一方で科学や批判的（クリティカル）思考スキルを伴う職業・仕事は影響を受けにくいとされています。

(5) ChatGPTと人間の比較に関する中国の研究

　中国の上海財経大学などに所属する研究者らが発表した論文※によると、ChatGPTと人間の専門家が答える内容のそれぞれの特徴や違いが示されています。

※ "How Close is ChatGPT to Human Experts？ Comparison Corpus, Evaluation, and Detection"（https://arxiv.org/pdf/2301.07597.pdf）

- ChatGPTの回答は質問に集中、人間の回答は発散的でほかの話題に移行しやすい
- ChatGPTは客観的な答えを出すが、人間は主観的な表現を好む傾向がある

- ChatGPTは専門用語や概念の解釈に優れている一方で、人間の回答はより具体的で、特に医療や法律、技術問題などに対する提案を行う場合、法律の規定や書籍、論文に基づくソースの詳細な引用を含む傾向がある
- ChatGPTの回答は通常フォーマルだが、人間の回答はより口語的（話し言葉的）
- ChatGPTは感情をあまり表現しないが、人間は自分の感情を伝えるために、文脈に応じて多くの句読点や文法的特徴を選択する

　この分析から、ChatGPTが適する業務、人間が適する業務を示すことは難しいのですが、おのおのの特性は示されています。また、ChatGPTの各スキルにおける各分野の人間との比較では、多くのジャンルで人間が負けているのですが、以下では人間が優れています。

- 品質コントロール分析（Quality Control Analysis）
- 複雑な問題の解決（Complex Problem Solving）
- 数学（Mathematics）
- オペレーションモニタリング（Operations Monitoring）

　今後ChatGPTなどのGenerative AIの能力が向上する可能性がありますが、これらを生かす業務や職種は人間が優位にあると考えられます。

(6) Generative AIによる生産性向上に関する研究

　実際の仕事の現場にGenerative AIを導入した効果、仕事や生産性に与える影響をミクロレベルのデータを用いて実証的に研究している論文が既に発表されています。

スタンフォード大学のErik Brynjolfsson（エリック・ブリニョルフソン）教授らが、2023年4月に発表した論文※で、エンタープライズソフトウエア会社の5,179人のカスタマーサポートのパフォーマンスを追跡し、顧客の問題をどれだけ早く、うまく解決できたかといった主要な指標について調査しています。その結果、AIツールの導入により、解決率は6.5％、時間当たりの解決率は13.8％増加しましたが、新規採用者やスキルの低い労働者の問題解決と顧客満足度が大幅に上昇した、とされています。

※ Erik Brynjolfsson,Danielle Li,Lindsey R. Raymond,"GENERATIVE AI AT WORK"（https://www.nber.org/system/files/working_papers/w31161/w31161.pdf）

　また、専門的な記事を書くライターにChatGPTを提供するフィールド実験※でも、生産性の低い人ほど改善効果が大きいという結果が出ています。ChatGPTが能力の低い労働者に利益をもたらし、労働者間の不平等が減少すること、ChatGPTは作業者のスキルを補完するのではなく、作業者の労力をほとんど代替し、下書きから離れてアイデアの生成と編集に向けてタスクを再構築すること、仕事の満足度が高まることを報告しています。

※ Shakked Noy,Whitney Zhang（MIT）,"Experimental Evidence on the Productivity Effects of Generative Artificial Intelligence"（https://economics.mit.edu/sites/default/files/inline-files/Noy_Zhang_1.pdf）

　これらの研究で注目されるのは、生産性が低い人ほど生産性向上が顕著なことです。

4-3
ホワイトカラーの仕事に影響を与える Generative AI

（1）AIの利用に関するビジネスパーソンの意識調査

　Microsoftが、2023年5月9日に、31カ国3万1,000人の自営業者や会社従業員に対して、AIの仕事への利用に関する意識調査の結果を発表しています※。この調査は、Generative AIのみが対象ではないのですが、調査時期が2023年2～3月で、回答者側にGenerative AIのことが相当意識されていると思われます。

※ https://www.microsoft.com/en-us/worklab/work-trend-index/will-ai-fix-work

　注目すべき点として、49%の人がAIに自分の仕事が取って代わられるのではないかと心配していると回答する一方、70%の人は、自分の仕事量を減らすためにできる限り多くの仕事をAIに任せたいと考えているという回答です。

　また、AIを使用することに抵抗はないと答えた比率は、管理業務（76%）、分析（79%）、創造的な作業（73%）でした。また、必要な適切な情報と回答の検索（86%）、会議と実行項目の要約（80%）、及び1日の計画（77%）を支援するAIを求めているとの結果でした。

　さらに、Generative AIやGPTなどのトピックに言及するLinkedInの

投稿の数は、1年前と比べて33倍になり、2023年3月の時点で、LinkedIn
上の米国の求人情報のうちGPTに言及している割合は前年比79%増加し
ているという結果を示しています。

　この調査では、2030年の働き方やそのために必要なスキルも聞いてい
ますが、これらの結果を見る限り、Generative AIの導入に対して自営業
者や会社従業員は前向きであり、それに対するスキル向上は必要との見
方が大勢を占めるのではないかと思われます。

　もちろんこの結果をそのままうのみにはできませんが、ホワイトカラー
を中心としたビジネスパーソンの意識と行動は、Generative AI導入に向
けて変化していると考えられます。

(2) ホワイトカラーの仕事がなくなる？

　4-2および前記 (1) を基に、Generative AIによる雇用への影響、特に
ホワイトカラーの雇用への影響をまとめます。

　Generative AIによる雇用への影響は、従来のAIで想定された以上の
影響になる可能性が高く、7割程度の職種で影響を受けると考えられま
す。ただし、雇用そのものが失われる可能性は限定的で、ゴールドマン・
サックスの米国での試算は7％とされています。

　業務・タスクベースでみると、現在のレベルでも15〜25％程度が
Generative AIに代替され、今後大規模言語モデルやアプリの開発が進む
と50％以上が代替される可能性もあります。ホワイトカラーへの影響が
明らかに大きく、特にオフィスの事務職・管理職、法律関係、広報、税理士、

会計士、金融、ライター、通訳・翻訳者、Webデザイナーなどへの影響が大きくなると考えられます。

　一方で、Generative AIの導入は全体では経済成長、生産性向上につながります。

　これらの研究は主に欧米を対象にしていますが、日本は就業構造などから米国以上にGenerative AIの影響を受けるとともに、生産性向上や経済成長のプラスインパクトも大きくなるとみられます。

　Generative AIの導入によりホワイトカラーの雇用が影響を受け、一部職種の雇用は失われますが、一方で雇用創出があり、労働移転が起こる可能性が高いと考えられます。そのため、ホワイトカラーは自身の生産性向上とともに、リスキリングで新規に創出される職種や業務に移行することも必要になると思われます。

　ChatGPTの回答は概念的・客観的な傾向がある一方、人間の回答はより具体的・主観的で感情表現を含んでいます。この人間の特徴を生かした業務であれば、スキルのみでなくモチベーションの点からも適合性が高いと考えられます。具体的に人間がChatGPTと比較して優れている点として、品質コントロール、複雑な問題の解決能力、数学、オペレーションモニタリングなどが挙げられています。これらの業務は人間の適合性が高いと考えられます。

(3) インタビュー結果から見た人間に必要な能力

　本書を執筆するに当たり様々な有識者にインタビューし、Generative

AIに対する人間の強みを踏まえたうえで、人間はどうすればいいかを聞いています。本書に掲載したインタビューのキーワード的なまとめは**図表4-9**を見ていただくとして、全体として以下の点が考察されます。

①Generative AIは職業や業務に影響が大きいことを前提にする必要

　Generative AIは現時点での能力（性能）をもってしても、ホワイトカラーを中心とした多くの職業や業務に影響があることは、多くの調査や評価からも明らかです。ただし、それは生産性向上や経済成長につながり、個人の時間や可処分所得の増加、働き方や労働に対する価値観の変化につながる可能性があります。

　今後大規模言語モデルが一層大規模化した場合、その限界はありますが、ほぼ間違いなく能力（性能）は向上し、この傾向は加速すると考えられ、そのことを前提として自身の職業、業務のあり方を考える必要が指摘されています。

②人間の強みである言語＋行動、経験、目的や課題発見、倫理的対応力を生かす必要性

　Generative AIより人間に強みがある部分は、言語能力に加えた運動や行動力、非認知能力、経験、経営や創業のような単純には学習できない

図表4-9　本書インタビュイーの意見（キーワードとして抽出）

対象者	Generative AIの強み	人間の強み	求められる能力や方向性
松尾豊氏	●言語を活用する処理能力 ●一般的な営業、マーケティング ●教育への利用 ●人事評価、調整などへの活用可能性	●言語能力＋探索、運動などの能力 ●経営、スタートアップ創業、対人営業 ●新規事業、企画	●生産性以外の重視（やりがい、熟練、チーム対応など） ●指数関数的イノベーション ●言語系＋ロボット系の開発

（次ページに続く）

対象者	Generative AIの強み	人間の強み	求められる能力や方向性
伊藤穰一氏	●多くの項目でのプロダクティビティー ●弁護士、コンサルの有する多くのスキル ●非構造的ニューラルモデル＋構造的シンボリックモデル（必要）	●右脳＋左脳の能力 ●日本人としての日本語力 ●マーケットフィット ●人間としてのリレーションシップ ●社会のあり方、倫理への対応	●プロンプトエンジニアリング重視 ●日本語での対応力 ●新規事業や新規業務への注力 ●Generative AIで人間の能力を強化
金出武雄氏	●大規模言語モデルによる知識力 ●ナレッジモデル ●質問への回答力 ●サウンディングボードとしての利用 ●アイデアの信憑性、実現性チェック ●探査、設計、試作能力	●言語を通じての思考、発見、発明、感情 ●言語を通しての人間間の相互作用 ●思考能力＋パターン認識能力 ●経験力 ●創造性、クリエーティビティー（再考は必要）	●Generative AIと人間の連携 ●アイデア抽出と妥当性などの評価 ●AIの会議参加 ●設計、デザイン ●発見、発明（創薬、物理法則） ●創造性、クリエーティビティーの再考
杉山恒太郎氏	●過去のデータの分析、活用 ●課題に対する正解、解決法発見 ●効率性、合理性 ●調査分析	●判断力（decision） ●目的、課題発見力 ●感性 ●模倣からの創造 ●非認知能力	●生き抜く力、人間力 ●人類に夢と希望を与えるクリエーティビティー ●非認知能力の醸成 ●失敗の許容
さわえみか氏	●自身で作成した画像へのアイデア追加、壁打ち的利用 ●自分好みの音声生成	●自身のイメージの仕上げ	●AIの使いこなし ●AIによるイメージ創成
小田健太郎氏（日本マイクロソフト）	●業務全般の生産性向上（コンテンツ、コード生成、翻訳、検索など全般）	●最終的な判断や意思決定	●副操縦士的視点でのAI活用 ●業界特化型でのAI導入
パナソニックコネクト	●業務全般の生産性向上 ●法務や経理の業務 ●データ分析、デジタルマーケティング、業務プロセス、プログラム開発支援	●経営判断、アクション ●仕上げる、判断する能力 ●未来予測 ●アートに近い部分	●プロンプトエンジニアリング重視 ●製造業に強い特化型AIの活用 ●取りあえずやってみるフェイルファースト（Fail Fast）

能力、目的や課題自体を発見し、また社会のあり方自体を考えて倫理的にどう対応するか、といった点にあると考えられます。これまでは生産性が強く求められ、日本はその面の向上を強く言われてきましたが、生産性の指標で測れる多くの業務は、Generative AIの活用により飛躍的に改善できるかもしれません。このことは、デジタル化に出遅れた日本社会の一つの機会とも言えます。今までの業務評価も生産性や営業成績のような数値指標でされた面が多かったと思いますが、今後は広い意味での人間力が求められることになるかもしれません。

③Generative AIを活用することで、人間の能力の補完、強化が可能

　インタビューイーの多くは人間とGenerative AIを対立的に捉えるのではなく、人間が主体性を持ちつつ、Generative AIを活用し、人間の能力を補完し、また強化することの重要性、可能性を述べています。このことは短期的にはプロンプトエンジニアのような職業が有望という指摘にもつながっています。しかし中長期的には、産業のみにとどまらず、マルチモーダルを生かせる設計デザイン、研究開発、発見・発明、文化芸術などを含む領域での展開が考えられます。

④Generative AIにより投げ掛けられたあるべき創造性、社会構築、倫理面などへの対応

　Generative AIはその波及効果の大きさから、働き方、労働に限らず、社会のあり方、倫理といった面に多大なインパクトがあります。そのために法規制、ガイドライン、企業の自主的対応が進んでいますが、あるべき姿や目的の明確化は人間が行う必要があります。また、Generative AIは、創造性、クリエーティビティに大きな問題を投げ掛けました。これは法制度や倫理面にもつながりますが、模倣からの創造といった視点での検討が必要という意見が複数の方から出ています。

パナソニック コネクト　代表取締役 執行役員 プレジデント
兼 CEO（以下、「パナソニック：」と記載し、樋口氏のほかパナソニック コ
ネクト担当者の回答を含みます）

パナソニック コネクトにおける取り組みの概要

——Generative AIという概念において今後ビジネスがどう変わるのか、ま
たビジネスリーダー、ビジネスパーソンはどうあるべきかについて、リー
ダーの方々にお話をお伺いしています。

パナソニック：先日、日本マイクロソフトの社長になられた津坂さんの
就任パーティーに参加したところ、ゲストの方のご挨拶がありました。
その方にしては棒読みだなと思う挨拶をした後、「以上がChatGPTで制
作した挨拶です」とおっしゃっていました。うまいですよね、ちょっと
追加しますみたいな感じで話を続けておられました。当社の入社式でも
「ConnectAIで作ってみました」とまねさせていただきました。

　少し当社の取り組みを説明させていただきます。既に公表している通
りで、2023年2月17日にMicrosoftがAzure上で提供するGPT-3.5をベー
スとしたサービスを国内全社員の1万2,500人に展開しました。生産性向
上が導入の大きな目的になります。私たちとしては、使うか、使わない
かではなく、いつから使うかの時代になると判断して導入を決めました
（**図表4-10**）。

　プロンプトエンジニアリング的な使い方を早く学んでほしいと考えて

AIアシスタント ConnectAIについて

全社員（1万2500人）にAIアシスタントを展開しました

概要
- 名称は「ConnectAI」
- 2月17日にマイクロソフト
  Azure上のOpenAI GPT-3.5で開始
- 3月13日よりChatGPTも開始

目的
- 業務生産性向上
- AIスキルの向上

利用イメージ　　　　　　　　　　社員

サプライチェーン導入のITプロジェクト
のキックオフのアジェンダ（案）を生成してく
ださい。

1. サプライチェーン導入プロジェクトの概要
2. 背景と目的
3. プロジェクトのスケジュール
4. プロジェクトチームの構成
5. プロジェクト管理体制の紹介
6. 次回ミーティングの日程確認　　　AIアシスタント

図表4-10　AIアシスタント「ConnectAI」について
出所：パナソニック コネクトの資料を基に著者作成

います。よく「どの職種で使えるのですか」と聞かれますが、それは導入
してみないと分からないという前提で、全社員で使ってみて使えるかど
うかを自分で考えてもらうということで進めています。事前に想定して
いなかった法務と経理といった部門が、AIを使ったら自分たちの仕事が
どのように生産性が上がるかということをブレストしてくれています。

　同じそろばんを使っても、そろばん9級の人と初段の人で違うように、
プロンプトエンジニアリングのやり方次第で、同じAIでもアウトプット
が全然違います（**図表4-11**）。社員には、早くAIとの付き合い方、使い
方を学んでほしいと思います。導入後に社員の使い方を分析してみたと
ころ、検索エンジンと同じ使い方をする社員がまだ多くいます。検索エ
ンジンでは通常「日本/GDP/成長率/過去10年」というようにキーワード
で聞きますが、ConnectAIには自然言語でインプットしてくださいとお
願いしています。

AIも使い方次第で活用できるかが変わってくる

同じAIでも使い方次第で、結果が違ってきます

頼み方次第で、こんなに差がでます

"日本人ビジネスマンの画像を生成
して"

"東京の真新しいオフィスでカジュアル
な服装でほほ笑む若い日本人ビジネスマ
ンの高画素な写真画像を生成して"

図表4-11　AIも使い方次第で活用できるかどうか変わる
出所：パナソニック コネクトの資料を基に著者作成

　また、ConnectAIはアシスタントなので「人に頼むのと同じように丁寧に頼んでください」と従業員の皆さんに伝えています。これは結局プロンプトエンジニアリングのことなのですが、例えば部下に仕事を頼む時「新たに期待すること、今の会社の状況、部門の状況はこれで、あなたにどういったアウトプットを出してほしいのです」と伝えますよね。きちんと伝えるほど良い結果が返ってくるものです。AIも同様に、丁寧に依頼するようにしてくださいと伝えています。

仕上げ（判断）以外はAIで業務生産性が向上できる

　私たちが考えているAIによる業務生産性の向上についてご説明します。ホワイトカラーを中心とした仕事は、①情報を集めて、②集めた情報を整理して、③ドラフトを作成して、④仕上げる、という4ステップで進められています。

　そのうちの①から③までをAIに任せることができるのではないかと考えて導入したのですが、重要な点は最後の仕上げの④は人が行うということです。これはこれからも変わらないと考えています。これまで1時間かけて資料を作る際、①から④に15分ずつかけていたとすると、①から③までの時間はAIに任せられるので、一番大事な④の時間を増やすことができるようになります（図表4-12）。AIを使うことで生産性の向上だけ

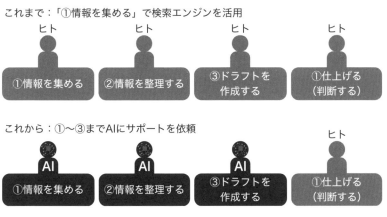

AIによる業務生産性向上のイメージ
資料作成などの業務で生産性をあげることができる可能性があります

これまで：「①情報を集める」で検索エンジンを活用

ヒト	ヒト	ヒト	ヒト
①情報を集める	②情報を整理する	③ドラフトを作成する	①仕上げる（判断する）

これから：①〜③までAIにサポートを依頼

			ヒト
AI	AI	AI	
①情報を集める	②情報を整理する	③ドラフトを作成する	①仕上げる（判断する）

図表4-12　AIによる業務生産性向上のイメージ
出所：パナソニック コネクトの資料を基に著者作成

ではなくアイデアを考える時間を大幅に増やすことができるようになり、時間の短縮だけではなく質の向上も期待できると考えています。

　利用に当たっての注意事項もあります。回答は正しいとは限らないので、最後の④は絶対に人が判断してくださいということや、情報は最新ではなく2021年9月までとなっていて、それ以降のことは知らないという前提で聞いてくださいということ、学習量的に英語の方が正確な回答が返ってくること、公開情報で学習しているので社内情報は今のところ非対応であること、未来予測はできないということについて理解して使うよう注意喚起をしています。

　またChatGPTはものすごく優秀で万能に見えるものの、すべてがベストというわけではなく、①は相変わらずGoogleの方が良かったりしますし、明日の天気なら、例えばAlexa（アレクサ）の回答の方が正確です。ですので「様々なサービスの得意分野を社員が理解して使い分けてください」と説明しています。そういったAIの使い方を学んでほしいというところから始めています。

日常的に2,000人以上が利用し高評価

　今、日常的に使っている社員は2,000人ぐらいです。回数では1カ月で5万回、1日2,600回ほど何らかのことをAIに聞いています。様々なメディアで報道していただいたおかげで利用者が増えました。サービス提供を開始した当初は利用する社員が数多くいたのですが、2週目ぐらいから利用者数が一旦減りました。その後、各メディアで報道され、また戻ってきた感じです。現時点の平均では2,600回ですが、直近では1日4,000回以上使われています。導入時はChatGPTのAPIが公開されていなかった

こともあり、GPT-3.5でスタートしたのですが、ChatGPTになってから利用回数が急激に伸びました。

　AIの答えに満足しているかどうかを5点満点で点数をつけてもらったところ、最初3.1点だったのが、ChatGPTが使えるようになって3.8点に上がりました。出てきた答えが気に入らないときに採点すれば厳しい評価になってしまうことがあると考えれば、かなり使える状況に来ていると思っています。

　皆さん「AIは思ったより使えるんだ」「こんなことにも使えるんだ」とコメントしてくれています。当社はパナソニックグループの中でB to Bでシステム・ソリューションの開発、提供を担当しており、簡単なコーディング作業などでサービスを使用する場面が結構多いのかもしれません。また仮説のアイデア出しとかにも使っているようです。

　ChatGPTは幅広い専門的知識を学習していますので、例えば、事業部門とITが新しいサブスクのサービスを作ろうとする際、法務的な観点で確認する必要がありますが、法務に聞く前にあらかじめ何が懸念点かをAIに聞くことができます。人に聞く手前でAIにある程度確認できるので、自分の能力を大きく拡張してくれると思います。

――パラメーター数とか読みにいっている広さがすごく広いので、物知りな人に聞いている感じです。ものすごく的確かというと、ちょっと違うと首をかしげることもあります。人間でもそうじゃないですか。ものすごい物知りだと言ってもやっぱり、「ん？」というのはありますよね。

企業カルチャー、スタッフの努力、社長の意思決定が重要

――お尋ねしたいのは、全社導入の意思決定が非常に早かったことについてです。世の中的には「AIを使って大丈夫なのだろうか」と思っている人もいると思いますが、このデシジョンのスピードはどこから生まれたのでしょうか?

実は前からメンバーが検討をしてくれていました。こういったサービスを導入する場合、一般的には「導入して大丈夫か?　情報セキュリティー大丈夫?　リーガルチェックを受けているのか?」といったようなことを言われると思いますが、当社では経営陣からもネガティブな発言はなく、私も「どんどんやれ、今すぐやれ」としか言いませんでした。これは当社がこれまでつくり上げてきたカルチャーによるものだと思います。

――新しいテクノロジーをどんどん活用していくとか、新しい提案を受け入れていくといった部分は、樋口社長がつくり上げられた企業カルチャーが源泉であると思いました。

導入プロジェクトを始めたのは2022年10月で、偶然にもその1カ月後にChatGPTがオープンになるというラッキーな面もあったと思います。この盛り上がりがなかったら、幹部も従業員も「それって何?」というところから始まっていたと思います。世の中がある程度、認知度を上げてくれていたので「あれを社内でやる」ということで、進めやすかったと思っています。

――1〜2年以上前からGPT-3はすごいという話はあったのですが、まだ一般の人が使ってすごいレベルではありませんでした。2022年の初めに、松尾先生に「今後AIはどうなって行くのでしょうか？」と聞いたら、「僕の予感では、5年以内にものすごいことが起こると思います」とおっしゃっていました。その後、GPT-3が脚光を浴びたのが、2022年の10月か11月ぐらいでしたので、御社はまさに先見の明でしたね。

　そうですね。利用してもらえている分野としては、社内外のアンケート分析などに使えるデータ分析、デジタルマーケティング、業務プロセス、プログラム開発支援があると思っています。データ分析、デジタルマーケティング、プログラム開発支援は今でも結構できます。利用した社員から業務をどう変えられるかというアイデアも募っています。

　当社に限らず、提案書ドラフトの作成とか契約書のチェックといった業務プロセスは一般的にあると思います。契約書は毎年更新するものも結構あり、その都度リーガルチェックをするのですが、毎回膨大な量になります。

　また、これまで申請書とか起案書類の不備のチェックは、今まで入力必須の所は埋まっているか埋まっていないかといったチェックしかできませんでしたが、AIは文章の中身を読めるので、例えばここの入力箇所にはお客様の要件が書いていないといったことが分かります。最終的には人が確認して不備があれば取り除くようにしているのですが、その前段階でAIのチェックで取り除けるようになります。これからはそのような機能がMicrosoftの既存のアプリケーションにどんどん入っていくのかもしれません。これはすごいことだと思います。

社内データを活用し、特定分野に強いAIが作れる可能性

　社内に閉じているデータ、例えば、新しいプリント基板や製品を設計した時に、その品質リスクはどこにあるかといったことを見つけることができるといいと思っています。今まで同じような間違いを繰り返していることがあれば、経験上の様々なデータを基に、「以前も同じような間違いがあったよね」といった指摘ができればと思っています。

　──OpenAIは、ある特定のデータをキャプチャーしてその特定分野に強いAIができるプラグイン※を発表していきます。恐らくその技術と秘匿性も必要になってくると思いますが、特定分野に強いAIができる可能性があります。

※ 2023年3月23日にOpenAIは「ChatGPTのプラグインの初期サポートを実装しました。プラグインは、安全性をコア原則とする言語モデル専用に設計されたツールであり、ChatGPT が最新情報にアクセスしたり、計算を実行したり、サードパーティーサービスを使用したりするのに役立ちます」と発表した。(https://openai.com/blog/chatgpt-plugins)

　今、当社はユーザーですが、言語モデルを作る人やサービスプロバイダーとしてOpenAIやGoogleが力を持っており、そこは逆立ちしても勝てません。ただ、ものすごく特定の分野のバーティカルなAIであればチャンスがあるかもしれません。今後、製造業に強いAIとか、法律に強いAIとか、いろんなAIが出てくると思います。例えば当社は製造に強いAIで、何か物を作るときに製品リスクを予見させるといったことに強い会社になれるといいのではないかと考えています。

AI導入へのビジネスパーソンの心構えに対する経営の視点

　──ホワイトカラーの働き方についてお聞きします。情報を集めて、整理して、ドラフト作成して、仕上げる。３番目までは全部AIになると、

どういうポジションで働くのかということが変わる気がします。このあたりについて、今後の社員の心構えなど、ぜひ聞かせてください。

　ChatGPTは未来予測が得意ではないという話がありますが、経営には先を見てどう判断するか、あるいはアクションを起こすかという部分があると考えています。エリートと呼ばれる方はなかなか手を汚そうとせず、すぐ本社の中枢部門に行きたがります。手を汚した経験がない中で、何かをやろうとした時の肝（きも）はどこかとか、人を動かすためには何が肝心なことなのかということが分からないまま頭で考えて答えを出そうとしてもうまくいきません。しかも相手や組織によって判断や行動は変わってきます。

　そういう積み上げがないとアクションを起こせません。アートともいえるこの部分は経営の大事な部分として残しておくとして、オペレーションの上流にある、何をもってどこで戦うかという戦略も重要ですので、こういったツールは経営視点ではオペレーショナル・エクセレンスになるための効率を上げる手段の一つと考えています。

　そのうえで今度はオペレーション効率を見たときに日本企業で気になるのは、単位時間当たりのアウトプットをどれだけ出すかということよりも、意味のないアウトプットを出すことに終始してしまっていることです。にもかかわらず、やめたくてもやめられないカルチャーは、当社だけではなく、日本企業全般に残っているように思います。

　忖度（そんたく）というものすごく非生産的なものも残っています。それを変えようとパナソニックに復帰してからの約6年間チャレンジし続けてきました。このようなツールも積極的に活用して非定型業務の生産性を向上さ

せることができればさらに良くなると考えています。

——テクノロジー理解がさらに重要になってきて、このAIならどこまでできるから、もうこれは任せればいいなどと割り切らないといけないと思います。ここは手作業で頑張るみたいなことは、テクノロジーの理解が進んでいないから起きることで、このAIはこれぐらいの性能があるから、自分の仕事の中でここまでこいつに任せて、自分はこっちをやろうということです。MicrosoftはCopilotと言っていますが、副操縦士みたいなものがあるとすごく効率が上がりやすく、AIで仕事がなくなると言う前に、どう使いこなすか、使いこなせるだけの知識をどれだけ早く身に付けるかが大事という気がします。

コンピュータリゼーションの自動化の流れの中、米国の現場の方々のレベルと比べて、日本人は現場のレベルが非常に高く、いつまでたってもその熟練した人に頼ってきました。結果としてコンピューターを入れるのは難しい状態となり、かなりのビハインドとなったので、それと同じになっては大変なことになるという心配はあります。

日本の現場でもビジネスプロセスを変えずに、システムをカスタマイズして導入した状態になっています。そういう意味では、非定型のインプットによっていろいろなアウトプットが出るツールというのは、今までの標準化とは少し違う形で、今までと比べるとやりにくさが下がるという感じはあります。

——ChatGPTが面白いからどんどん使っちゃうという企業カルチャーがすごく大事だと思いました。日本企業には、そのスピードが欲しいですね。

「取りあえずやってみよう」というフェイルファースト（Fail Fast）があんまりないですね。

社員がすぐに使えるような工夫の実例

全社員が使っていますが、社内からの問い合わせはほとんどありません。「うまくつながりません」という問い合わせが数件ありましたが、それに対しては社内ネットワークの設定の方法を教えた程度です。

我々はAIをビジネスに使ってほしいので、ビジネスで使えるであろう局面での15個のサンプルを用意していて、何も考えず選んだら自動的に答えてくれます。それがオンライン上のチュートリアルになっていて、使い方の問い合わせは全然ありません。

例えば、あなたは2、3年目の若手社員で、来週の販売会議のファシリテーターを任されたという設定にします。「時間は2時間、課題は主力製品の価格改定についてどう進めていったらいいでしょうか」みたいなのを選んで入力すると、販売会議のアジェンダと、それぞれのアジェンダで何を聞いたらいいかを教えてくれます。使い方はだいたい定義していて、アシスタントだから頼むこともでき、そのパターンはこれだけあるから、自分の状況に合わせて書き換えて使うイメージです。

社内はもうちょっと感度が良くてもいいかなとは思います。お客さんからの問い合わせは多く、社内より社外の方の方が、感度が高い感じです。パナソニックがやったというインパクトがあったみたいで、うちもできるんじゃないかと考えた日本の大企業からの問い合わせが思った以上あり、そうそうたる企業の方々からヒアリングの依頼をいただきました。

意外なことに、経理や法務で利用が進む

　想定外のこととすれば、経理部門や法務部門の取り組みです。

　ChatGPTは経理としても使えることがあるのではないかと検討し、「今すぐ使える」「ちょっとしたら使えるんじゃないか」「ITに頼んだら使えるんじゃないか」みたいな分析をして、自分たちで使い方を考えています。最初は経理部門ではあまり使えないだろうと思っていたのですが、ものすごく積極的に使ってくれて、「すぐ使える」が10項目以上ありました。

　例えば「すぐ使える」に、新しい法律への対応があります。法律違反となるリスクを確認するという使い方で、経理の現場の人が使えるというから、すごくレベルが高いのでしょう。全社員に展開したことで、我々の想定以外の部門ですごく使え、我々の会社だけではなくて経理はあらゆる企業にあるので、おこがましいですけどそのモデルケースをつくっているところもあるのかなと、すごくびっくりしました。自分たちで展開して考えてくれるということは、うれしいです。このあたりは当社のカルチャーかなと思います。

　法務では下請法の対応とかで使っていて、びっくりします。入力できる文字数は法務で使うことを想定しなかったので、「法務省の文書を貼り付けるにはこれだけの文字数が必要です」と言われたので、その日のうちに倍にしました。下請法に使えるということも想定しませんでした。恐らく社内でそういうことがいっぱい起きているんだと思います。それを、これから拾い上げて横展開できたらなと思います。

　――全部読むことを想像すると、非常に時短になりますね。下請法はほぼ

Disclaimer（免責事項）みたいな文章がたくさん入っているだけなので、骨子にすると300文字ぐらいでいいという感じと思いますが、すごいですね。

　現在の文字制限は、ChatGPTで2,000〜2,500文字くらいといわれていますが、GPT-4だったら数倍になるので割とちゃんとしたリポートも書けるようになるようです。法務の文章も今は恐らく分割して貼ったりしているようなのですが、GPT-4になれば一気に長い文章も貼れて、そこでも飛躍的に変わってくると思います。

最後は人間の判断が必要

　いいことばっかり言っていますが、心配なこともないわけではありません。ChatGPTの回答を「鵜呑みにしないでね」と何回も言っています。法務関連では専門家がちゃんと見ているから大丈夫だと思いますが、それでもドキドキします。基本的には次に来る文字の確率を計算しているだけなので、合っているかどうか全然分かりません。社員に「最後は人だよ、コピペしてそのまま使わないでね」と言っています。基本的には最後は絶対人間です。ここは未来も変わらないと思いますが、そろばんが電卓になって計算能力が落ちたんじゃないかということもあって、状況は変わるかもしれません。

　我々は社外には使わず、社内でしか使ってないので怪我しても社内です。冗談ですが、社外で実施する研修の最後に感想文を提出するのですが、それに利用する社員がいるんじゃないかというだけです。宿題をChatGPTにやらせるのと一緒です。

——オンライン研修のようなものは、全部ChatGPTになりますね。東大・松尾先生が、AIとかすごく勉強してきた方々に、相関関係をいろいろ調

査しています。例えばエンジニアは比較的真面目に勉強してきた人がいるとプラス相関が出る、要するに数学とか真面目にいっぱい勉強してきていると、ある意味その職業的なスキルが身に付いていく可能性が高いということです。一方で、当然日本の教育ですが、マイナス相関で、勉強すればするほどできなくなっていくのが営業と経営者ということでした。日本の授業の中では、経営者になることや、例えばAI×経営も含めてテクノロジーをどう使いこなすかという視点で教えていません。また、大学でも経営者として財務諸表をどう見るかは深く教えないですよね。

ハーバードビジネススクールでも、トップ2%の成績とかを取っている人の実業における成功確率はものすごい低いです。ベタなこととか現場のこととか、そこも含めた人間の感情とかスキル、アクションオリエンティッドで泥をかぶったところの経験とかもすごく実は重要というか、そうであってほしいという希望的観測もあります。

AIを使いこなすような企業カルチャーの重要性

——最後に、ChatGPTのようなテクノロジーをいかに使いこなすかも含めて、企業カルチャーをどう発展させていきたいと思いますか。

自分が経営をやってきた中で、カルチャーはもう何においても基本で、それはもう直感みたいなものもあります。昔のコマンド＆コントロールでの会社運営というカルチャーから、もっとエンゲージングとかモチベーショナルか、人が生き生きと働くことが生産性の一番の源泉ということで、やってきています。

会社の方向を転換するとか戦略を遂行するときに、カルチャーがダイ

ナミックでないと全然動かない経験をしているので、これもその新しい例になっていると感じています。

　どんどん自発的に皆さんがやろうじゃないかということで、反対意見、ネガティブな意見も全然出ずに、自ら創意工夫して、使い方はこうだと考えているというのは肌で感じています。ですから、今までやってきたそういうカルチャー＆マインドみたいなものがやっぱり正しく、それが今回もベースになっているというのを感じています。ほかのカンパニーもやると言っているんですが、時間がかかっていますね。

　「お問い合わせ体制は何人で構築されていますか？」と聞かれますが、「そんなの作っていないので、何かあったら私にメールが来ますが、やってみて足りなかったら考えますけど、今のところ大丈夫です」と答えたら、「そうですか」という感じで、最初にそこを聞くんだなと思います。カルチャーや経営陣のリーダーシップは大きいと思います。

――そうですね。これからAIをいかに使いこなすかがますます大事で、そういった意味で樋口社長が推進されるカルチャーは、すごくフィットしています。このローンチのスピードは驚異的です。

　いろいろラッキーでした。Microsoftがタイミングよくサービスを提供してくれたのも大きくて、それにちょうど乗った感じです。内部のバーティカルデータと結合し、他社にまねされないようなところも何かできたら面白いなと思っています。小さいところは割とやりやすいと思いますが、大企業でも当社に問い合わせがあります。先日もある大企業の方に紹介しましたが、やる、やらないじゃなく、「方法、手順、構成」について聞かれたので、2023年中に出てくるんじゃないでしょうか。

第 **5** 章 | # Generative AIの倫理

5-1
Generative AIの倫理的問題

(1) AIの倫理的問題に関する法規制やガイドラインの動向

AIが人間社会や価値観に影響を及ぼす倫理的問題について、2016年ごろから、世界の多くの政府、非政府機関、国際機関、業界団体、企業が議論を重ね、AIの開発・利用に当たって倫理面で留意すべき視点・観点などをまとめ、いわゆるAI原則や業界ガイドラインなどが提案、策定されてきました（**図表5-1**）。

図表5-1　AIの倫理的問題に関わる法規制などに関する国内外の動向

年	国内	海外
2018年		● 「欧州のためのAI」（EC=欧州委員会、4月）
2019年	● 「人間中心のAI社会原則」（内閣府、3月） ● 「AI開発ガイドライン」（総務省） ● 「AI利活用ガイドライン」（総務省）	● 「信頼できるAIに向けた倫理ガイドライン」（EC、4月） ● 信頼できるAIのための責任あるスチュワードシップに関する原則（OECD、5月）
2020年		● GPAI（Global Partnership on AI）立ち上げ（G7、6月） ● 信頼できるAIのためのアセスメントリストの改訂版を公表（EC、7月） ● 説明可能なAIの4つの原則（ドラフト）を公表（米国NIST、8月） ● AI、ロボット、関連技術の倫理的側面に関する枠組み（欧州議会、10月）
2021年		● AI法の起草と特定のEU法改正案（EC、4月）

年	国内	海外
2022年		● 「AI権利章典」(米国、10月) ● 「デジタル時代のデジタル権利および原則に関する宣言」(EU、12月)
2023年	● Generative AIについての見解、AI全般の法規制を含むホワイトペーパー発表(自民党、2月) ● 対話型AIの教育への活用に関する指針策定の方向(政府、4月) ● 日本開催G7デジタル・技術相会合でAIの利用指針を策定(4月) ● 生成AIの利用ガイドライン(ディープラーニング協会、5月) ● AI戦略会議設置(政府、5月) ● 日本開催G7教育相会合で、生成AIの学校での活用議論(5月) ● 日本開催G7で、生成AIに関する国際ルールなどを検討する「広島プロセス」設置	● Generative AIが生み出すメディアを安全に利用するためのガイドラインを策定(Partnership on AI、2月) ● 「Generative AIと著作権法」についての見解(米国、2月) ● ChatGPTの使用を一時的に禁止(イタリア、3月) ● AI規制への革新的アプローチ(英国政府、3月) ● 「生成型AIサービス管理弁法案」公表(中国、4月) ● 「責任あるAIイノベーションを推進する新たな行動」(米国、5月)

　この表から2023年に入って以降、ChatGPTなどの対話型AIを中心にしたGenerative AIの急速な利用が、各国法規制やガイドラインに大きな影響を与えていることが分かります。

　FRA(欧州基本権機関)の調査によると、2016～2020年までのAI関連の政策イニシアチブ数は約350に及びます※。欧州評議会CAHAI(Ad hoc Committee on Artificial Intelligence)の調査によれば、世界中のAI倫理原則に共通して重視される項目として、「透明性(説明可能性など)」「正義・公正」「無害」「責任」「プライバシー」が挙げられています。
※ AI policy initiatives (2016-2020) | European Union Agency for Fundamental Rights (europa.eu)

　我が国では、2019年に内閣府が公開した「人間中心のAI社会原則」※にて、AIの社会実装に当たり留意すべき7つの「AI社会原則」が示されています。具体的には、①人間中心の原則、②教育・リテラシーの原則、

③プライバシー確保の原則、④セキュリティー確保の原則、⑤公正競争確保の原則、⑥公平性、説明責任及び透明性の原則、⑦イノベーションの原則──が含まれます。

※ https://www8.cao.go.jp/cstp/aigensoku.pdf

　海外では、2019年4月、欧州委員会によって設立されたAIハイレベル専門家グループが「信頼できるAIのための倫理ガイドライン」を公表しました。そこでは、7つの要件として、①人間の主体性と監督、②技術的な堅牢性と安全性、③プライバシーとデータガバナンス、④透明性、⑤多様性、非差別、公平性、⑥社会および環境の福祉、⑦説明責任（アカウンタビリティー）──が挙げられています。2020年7月には、「信頼できるAIのためのアセスメントリストの改訂版」が公表され、AI開発企業などがAI倫理ガイドラインで示されたAI原則や7要件を実装に落とし込むことが可能になりました。

　また、ハーバード大学ロースクールのジェシカ・フェルド氏らのグループは、世界のAIガイドラインなどの分析から、①個人のプライバシー、②説明責任、③安全性とセキュリティー、④透明性と説明可能性、⑤公平性と無差別、⑥人間による制御、⑦専門家の責任、⑧人間の価値の促進──を挙げています。

　ほかに国際機関や米国などでの動向がありますが、AIの倫理的問題への対応を考える際には、これら参考にして検討することが必要と考えられます。欧州では、さらにGenerative AIにも関係するAI法の制定が予定されていますが、その点については後述します。

　なお、AI規制は、欧州ではEUを中心に厳格な法律による規制を指向す

る一方で、米国や日本は官民の連携、もしくは業界団体による柔軟なガイドラインによる規制を指向するといった方向性の違いがあるとの指摘があります。そのため、国際的に統一された規制の必要性が指摘され、2023年4月開催のG7デジタル・技術相会合において、AIの利用指針策定が提唱されました。共同声明と行動計画では、各国が規制を導入する際、「利用するAIの特徴や利用場面などを踏まえた内容にすべき」との考えが示されています。

2023年5月19日から広島市で開催されたG7首脳会議（サミット）では、担当閣僚による枠組み「広島AIプロセス」を立ち上げ、Generative AIを含むAIの規制、開発、利活用などについて議論し、年内に結果を出すことで合意しました。その中には、著作権保護や偽情報対策などが含まれると考えられます。岸田首相は19日の討議で、「人間中心の信頼できるAI構築が必要、生成AIは経済社会への影響が甚大でG7が一致して切迫感をもって対応すべき」と発言したことが伝えられています。

一方で、OpenAIのサム・アルトマンCEOは2023年5月16日の米議会で初証言を行い、AI規制の必要性を訴えたことも伝えられています。

Generative AIに関する官民を含む倫理や法規制に関する国際的な動向は、見逃せない状況にあると言えます。

(2) Generative AIに関する倫理的問題の特徴と 法規制やガイドラインの動向

Generative AIはAIの一種であり、AI全般の倫理的問題点と共通・類似していますが、Generative AI特有の課題があります。AI全般の課題とGenerative AIの課題を表にまとめました（**図表5-2**）。Generative AI

では、特に以下の点が問題と指摘されています。

- 生成する文章などの誤り、編集加工などによる悪用
- 学習に利用する大規模言語モデル（LLM）に起因する透明性、偏り
- 個人情報、機密情報などが含まれる懸念
- インプットに利用するデータ、および生成されるアウトプットに関する著作権などの知的財産権
- 特に若年層における学習、教育への利用の妥当性

図表5-2　AI全般およびGenerative AIにおける倫理面を中心とした問題点

項目	AI全般の課題	Generative AIの課題
公平性	データセットの偏りなどで、AIの判断にバイアスや不当な差別、偏見などが含まれる可能性がある	データセットのみでなく、生成する文章などについて、公平性の問題が生じる可能性がある
透明性	入出力などの検証可能性及び判断結果の説明可能性	大規模言語モデル（LLM）に起因するアカウンタビリティーの問題
プライバシー、個人情報利用	学習データに個人情報などが含まれる場合や監視への利用で、プライバシーが侵害される可能性	個人情報のみでなく、国家や企業の機密情報や未公開の研究情報、画像情報などが含まれることの懸念
尊厳・自律、自己決定	利活用において、人間の尊厳と個人の自律は尊重されない可能性	Generative AIが自律的に作品などを生成する場合、その告知義務などが発生
セキュリティー	学習データに個人情報などが含まれ、適切な管理が必要	国家情報、機密情報の漏洩や誤用の恐れ
悪用可能性	有名人の名前の悪用による可能性など	ディープフェイクなどで偽造や悪用の拡大、虚偽の情報拡散の可能性
安全性	利用者及び第三者の生命・身体・財産に危害を及ぼす可能性	既存のAI監査手続きで対応できない可能性
著作権、知的財産権	利用するデータセットによる著作権侵害の可能性	Generative AIによって生成された作品の著作権や知的財産権の所有者が誰かを明確にする必要
教育、若年者の利用	一部に問題があるが、大きな問題ではない	学習課題、リポートへの利用、ツールとしての是非

Generative AIに関する法規制やガイドラインの策定は、GPT-4が導入された2023年3月以降急速に進んでいます（**図表5-3**）。欧州では個人情報保護、中国では当局による事前審査といった形で規制強化が進んでいます。米国でも国家安全保障に及ぼす安全性確認という視点を含め、大統領の発言や公開協議での検討実施といった動向が見られます。

日本ではGenerative AIの問題点に対する規制の必要性は議論される一

図表5-3　Generative AIの規制などに関する動向（2023年3月〜5月）

月日	内容	具体的動向
3月17日	「Not By AI Badges」プロジェクト	AIではなく人間が作ったコンテンツにバッジを付けるプロジェクト開始
3月21日	Adobe、独自の倫理原則に基づくAI「Adobe Firefly」を発表	画像生成機能、テキストエフェクトを提供、アプリケーションへの統合を予定
3月23日	OpenAIがChatGPTなどのツールやサービスの利用規約を改定	他者を傷付けるコンテンツを無制限に生成することなど、以前よりも明確で具体的な禁止例示
3月28日	米国でAI開発の一時凍結を呼び掛ける署名運動開始	「フューチャー・オブ・ライフ・インスティチュート」発表。イーロン・マスク氏含む
3月29日	英国政府「AI規制への革新的アプローチ」	AIの責任ある使用を求める一方で、技術革新を阻害する強引な法律導入は避ける方針
3月31日	自民党、「AIホワイトペーパー」発表	Generative AIについての見解、AI全般の法規制に関する内容を含む
3月31日	イタリア政府、ChatGPTの使用を一時的に禁止	個人情報保護に関する法律に違反している疑いがあり、一時的に使用を禁止
4月4日	英国当局、Generative AIの利用に関する留意点を公表	法的根拠を明確明確化、データ管理者としての義務、リスク評価など8つの留意点を含む
4月4日	米大統領、ChatGPTなどの安全性確認、AI企業に責任との認識	国家安全保障に及ぼす安全性確認の開発企業の責任、利用者の個人情報保護法整備の必要性について発言
4月5日	OpenAI、対話AI安全策公表	動作監視、個人情報の可能な限りの削除など
4月7日	日本、対話型AIの教育への活用に関する指針策定の方向	官房長官が文部科学省中心に取りまとめを行う方針を公表

（次ページに続く）

月日	内容	具体的動向
4月11日	米国、AIに関する公開協議を開始	AIの安全対策を巡る意見公募を開始
	中国、Generative AI事業者の管理規定案を公表	全21条の「生成型AIサービス管理弁法案」を公表、当局による事前審査義務付き
4月25日	新しい資本主義会議におけるGenerative AI産業活用検討	産業での利活用に向けた環境整備を進めるとの見解
4月29日、30日	G7デジタル・技術相会合でのGenerative AIに関する検討	Generative AIがもたらすリスクやメリットについての分析に基づくAIの利用に関する統一的な国際基準作りの必要性を提示
5月5日	米国政府、AIに関する政府方針を発表	安全性を確認する基本的な責任は企業にあるという内容。AI研究機関を25に増やし、総額5億ドルの資金提供する内容も含む
5月11日	AI戦略会議初会合	生成AIの活用ルールなどを議論
5月19日	G7広島サミットで、生成AIのルールなどについて年内に見解を得ることで合意	担当閣僚による枠組み「広島AIプロセス」を立ち上げ、生成AIを含むAIの規制、開発、利活用などについて議論し、年内に結果を出す

方、産業、教育、政治、行政における利用の有用性を指摘し、積極的に活用しようとする動きが政府、自民党を中心に見られます。岸田首相がOpenAIのサム・アルトマンCEOと個別に面会したことは、その表れと考えられます。

　2023年4月開催のG7デジタル・技術相会合では、Generative AIがもたらすリスクやメリットを分析する必要性や、それに基づくAI利用の統一的な国際基準作りの必要性が示されています。また、日本の政府は5月に「AI戦略会議」を設置し、対話型AIなどのGenerative AIを含む検討を行っています。5月19日から広島市で開催されたG7首脳会議（サミット）では、担当閣僚による枠組み「広島AIプロセス」を立ち上げ、生成AIを含むAIの規制、開発、利活用などについて議論し、年内に結果を出すことで合意

しました。

(3) Generative AIに関わる具体的な倫理的問題

　Generative AIは、自律的に創造的な作品を生成することができるため、AI全般より顕著な形で倫理的問題を生じる可能性があります。ビジネスの面から、特に問題となる点を以下に示します。

①偏見、差別、フェイクの生成、悪用
　データセットに偏りがある場合、AIは誤った判断を行う可能性があります。特にGenerative AIでは、生成された作品が人々に対して差別的な見方などを助長させる可能性があります。さらにGenerative AIでは、偽の情報、偽の映像、偽の音声、偽の文章などによって人々を欺くことができ、悪意をもって社会的混乱を引き起こす可能性があります。たとえ間違った情報や悪用でなくても、テキスト生成や画像生成によって、人種やジェンダーなどの偏見につながる可能性があり、その点に留意が必要です。

②プライバシー、セキュリティーの問題
　テキストデータでは、一般的な個人情報のみでなく、企業秘密、未公開の研究情報、患者の医療情報、国家機密といった機微な情報を、大規模言語モデル（LLM）にプロンプトとしてインプットすることのリスクが指摘されています。画像生成において、医療現場で活用される際の医療画像などの機微データをそのままアウトプットしたり、個人の肖像権に配慮しないで利用したりする懸念も指摘されています。

③著作権、知的財産権に関する問題
　Generative AIではデータセットから作品などが生成されますが、利

用するデータセット、生成された作品に関する著作権、知的財産権の問題が生じ得ます。Generative AIによって生成された音楽や絵画が、既存の著作物と酷似している場合、著作権侵害になる可能性があります。Generative AIが自律的に作品を生成する場合、その作品がAIによって生成されたものであることを明確に示すなどの対応が必要になります。なお、詳細は後述しますが、日本と海外で法規制が異なり、全般に日本より欧米の方が厳しいことが指摘され、その点も踏まえることが必要です。

④大規模言語モデル（LLM）に由来するアカウンタビリティーの問題

大規模言語モデル（LLM）が不正確な情報を生成した場合、誰がその責任を負うことになるのか、明らかにしておく必要があることが指摘されています。大規模言語モデル（LLM）特有の課題から、既存のAI監査手続きではうまくいかないことがあることも指摘されています。

⑤その他（労働や環境に関する問題）

学習データから有害なコンテンツを取り除くための作業などを安価な人件費で実施するなど、大規模言語モデル（LLM）の構築、利用に伴う環境コスト、経済コストの大きさが一部で指摘されています。

これらの問題に対処するために、AIの倫理的枠組みを策定し、AIの透明性、公正性、責任、プライバシー、そしてAIによって生成された作品の品質に対する基準を定義する必要があります。

（4）個別企業の対応事例

以下では自主的な対応が進む企業の事例として、OpenAIとAdobeを取り上げ、その動向を示します。

OpenAIの取り組み

　OpenAIのサム・アルトマンCEOが2023年4月に来日した際、「AIシステムが安全に開発、展開、使用されるように確保すること、それは自分たちの使命として極めて重要」と述べています。同社はAPIを通じて技術を提供していますが、提供する際には事前審査しており、不正使用を検知するだけでなく、多方面への影響を検証するとしています。

　同社が重視しているのは、AIシステムを人間の意図と価値観に合わせる「アライメント（調和）」です（**図表5-4**）。アライメントはOpenAIの研究の最優先事項で、アライメントチームはAIシステムを有益で、正しく、安全に訓練する方法を研究しているとし、一例としてGPT-4のリリース前に6カ月間、安全面を検証したとしています。

　2023年3月14日、GPT-4のリリースに合わせて、テキスト生成AIによる潜在的なリスクを示す「システム・カード」※と題するリポートを公表し、GPT-4に関する安全性の課題を12点挙げ、これらの改善度合いを定量的に示しています。具体的には以下の通りです。開発段階のGPT-4（GPT-4-early）と、有用性と無害性を高めるために微調整された公開バー

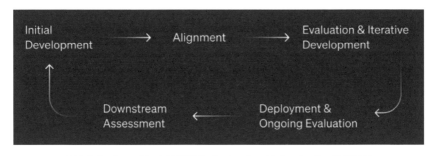

図表5-4　OpenAIにおける開発プロセスとアライメントの位置付け
出所：OpenAI資料

ジョン（GPT-4-launch）を比較しています。

※ https://cdn.openai.com/papers/gpt-4-system-card.pdf

- 誤った情報（幻覚）（Hallucinations）
- 有害なコンテンツ（Harmful Content）
- 代表性・配分・サービスの質の害（Harms of representation, allocation, and quality of service）
- 偽情報と影響工作（Disinformation and Influence Operations）
- 通常及び非通常兵器の拡散（Proliferation of Conventional and Unconventional Weapons）
- プライバシー（Privacy）
- サイバーセキュリティー（Cybersecurity）
- 突然出現する危険な行動の可能性（Potential for Risky Emergent Behaviors）
- 他システムとの相互作用（Interactions with other systems）
- 経済的影響（Economic Impacts）
- （技術開発の）加速（Acceleration）
- 過度の依存（Overreliance）

2023年3月23日には以下の2つの観点で利用規約（Usage policies）を改定しています※。

※ https://openai.com/policies/usage-policies

①ChatGPTやGPT-4をはじめとするOpenAIのモデルを利用する際の禁止事項列挙

違法行為、児童への性的虐待、ハラスメント、身体的危害や経済的損害のリスクが高い活動、詐欺行為や欺瞞行為、アダルトコンテンツ、政治的キャンペーンやロビー活動、無許可の法律実務、個別の金融アドバ

イス、健康状態や治療行為の情報提供、リスクの高い政府の意思決定など。

②プラットフォームポリシー、プラグインポリシー

GPT-4、DALL-E、WhisperといったOpenAIが提供するAPIは、主要な技術プラットフォームへの統合が許可されているが、禁止事項に加え、プラグインを作成する開発者のための追加要件を設定。また、2023年4月5日には、以下の内容を含む対話型AIの安全策を発表しています。

- 動作監視（専門家や利用者からの声を反映、GPT-4は検証に6カ月以上）
- 利用実態把握（外部ソフトとの連携機能を通じ悪用を防ぐ）
- 子供の保護（年齢確認の認証検討、性能向上による不適切コンテンツの応答減少）
- プライバシー（訓練データからの個人情報削除）
- 誤情報対策（性能向上で回答の正答率を40％向上）
- 今後の対策（改善、利害関係者との対話の継続）

OpenAIのサム・アルトマンCEOが2023年5月の米議会で初証言を行い、開発ライセンスを発行し取り消す権限を持つ連邦監督機関の設立を提唱、またクリエーターの作品がAIシステムの訓練に使われた際にはクリエーターに報酬が支払われるべきと主張したとされています。

Adobeの取り組み

「Adobe Photoshop」「Adobe Illustrator」などクリエーター向けソフトウエア製品を開発・販売するAdobeは、2021年に以下の3本柱の「AI倫理原則」を発表しています※。

※ https://blog.adobe.com/jp/publish/2021/02/24/corporate-adobe-unveils-new-ai-ethics-principles-commitment-responsible-digital-citizenship

- 責任ある技術開発と運用の調査（設計における包括性の考慮など）
- AI機能に対する説明責任（有害性予測、その対応など）
- AI利用の透明性確保（透明性の高い説明など）

　Generative AIについても、この倫理原則に沿った開発を進めていると
されます。2023年3月には、画像生成機能とテキストエフェクトを中心と
し商用利用に特化したGenerative AIモデルである「Adobe Firefly」を発
表しています※。将来的にAdobeのクラウドサービスに直接搭載され、コ
ンテンツの作成／修正が高い精度かつ早く手軽に利用できるようになる
とされます。

※ https://www.adobe.com/sensei/generative-ai/firefly.html

　Adobe Fireflyの学習対象データは、同社が運営している「Adobe
Stock」というフォトライブラリーの利用許諾済みデータと、パブリック
ドメインの画像の中で著作権フリーのものだけを使っているとされ、暴
力的、軽蔑的、その他の不適切なコンテンツを除去した多様なデータ
セットを利用しているとされます。また、同社はクリエーターの名前、
作成日、使用したツールなどの情報をコンテンツに添付でき、これらの
来歴情報はコンテンツにひも付けて流通することが可能で、この機能は
Generative AIに対応するとしています。

5-2
Generative AIを利用する際の注意点

（1）海外を含む規制やガイドラインなどに関する動向

欧州連合（EU）の規制

　2021年、EUはAIに関する包括的な規制を発表しました。この中には、Generative AIの使用に関する規制も含まれています。例えば、高リスクアプリケーションには、AIに関する独立した審査が必要とされています。

　EUでは、後述するAIの運用を規制する法案「AI Act」の制定に向け最終調整を進めています。この中では、AIのリスクを4段階に分けて定義し、それぞれの利用法を規定しています。違反への制裁金は最大で3,000万ユーロか、全世界の売上高の6%のうち高い金額となり、法令への準拠が必須となります。現在、パブリックコメントを基に法案のアップデート作業が進められ、2023年後半に成立すると予測されています。

　また、AI ActにGenerative AIを加える方向で準備を進めているとされます。EUはこのモデルを「General Purpose AI」※と呼び、汎用的に使えるAIを法令に加える見込みとされます。General Purpose AIは大規模AIモデルで、基本モデルを改造することなく、複数の目的に使えるアルゴリズムを意味します。米国では「Foundation Model」とも呼ばれ、大規模言語モデルがこれに該当します。例えば、Transformerで構成されるGPT-3やGPT-4は人間のように高度な文章を生成するため、AI Actはこれらの大規模言語モデルを規制する方向で最終調整を進めているとされます。

※ https://www.europarl.europa.eu/RegData/etudes/ATAG/2023/745708/EPRS_ATA（2023）
745708_EN.pdf

　EUは、AI作成の文章などに「メード・ウィズAI」と付ける案や、提供企業にAIの判断理由や倫理基準の説明求めることなどを検討しているとされます。

英国の法規制

　2023年3月29日、英国は「AI規制改革への革新的アプローチ」*というポリシーペーパーを公表しています。ChatGPTなどが台頭する中、規制の策定により、国民のAIに対する信頼醸成とともに、技術革新を促す方針を打ち出しました。規制策定に当たっては、①AI利用の安全性、セキュリティー、堅牢性、②AIの設計・利用を巡る透明性と説明可能性、③平等法やデータ保護法など公正を期する既存規則との適合、④AI利用の説明責任とガバナンス、⑤競合性と損害を巡る提訴や補償の道筋──の5項目を柱に据えるとしています。各当局は今後、「AI実用化の現状に即した特定の利用状況ごとの規制」の策定に取り組み、1年以内に企業向けの実務指針とリスク評価のひな型などのツールや資料を公表するとされています。

※ https://assets.publishing.service.gov.uk/government/uploads/system/uploads/attachment_
data/file/1146542/a_pro-innovation_approach_to_AI_regulation.pdf

イタリアのChatGPTの一時的禁止

　イタリアのデータ保護当局は2023年4月12日、対話型AIのChatGPTを開発したOpenAIに対し、2023年4月末までに個人情報保護の対策をするように求め、関連法制に違反する可能性があると見て調査を開始し一時的に禁止しました。ただし、4月28日に、個人情報の取り扱いについて改善策を導入したということで、一時的禁止を解除しています。

米国の法規制

　米国ではGenerative AIに関する法律や規制はまだ整備されていませんが、一部の州ではAIに関する法案が提出されています。例えばカリフォルニア州では、AIによる偽情報の生成や拡散に罰則が科せられるようになる法律案が検討されています。

国際的な指針

　世界経済フォーラムや国際連合などの国際的な組織は、Generative AIの倫理的問題に関する指針を発表しています。これらの指針は、政府や企業がAI技術を適切に使用するための基準を示しています。

日本の自民党によるAIホワイトペーパー

　ChatGPTによる大規模言語モデルの社会実装の衝撃を受け、新たなAI国家戦略の策定の必要性を訴えています。AI規制に関する新たなアプローチとしては、重大なリスク分野に関する法規制の検討、AI新時代における臨機応変な規制適応、教育分野におけるAI利活用に関する指針の整理が必要としています。Generative AIについては、「知的財産法の解釈を巡る議論につき、AI技術の進歩を促進しつつ、濫用的な使用を防ぎ、我が国の強みであるコンテンツ産業がより発展できるようガイドラインなどの策定を検討する」としています。

日本ディープラーニング協会による生成AIの利用ガイドライン

　2023年5月1日に、『生成AIの利用ガイドライン』（第1版、2023年5月公開版）を発表しています。このガイドラインは会社などの業務で、ChatGPTなどの生成AIを利用する際に注意すべき事項を解説しています。対象となる生成AIは、いずれのサービスも基本的に「ユーザーが何らかのデータを入力して何らかの処理（保管、解析、生成、学習、再提

供など）が行われ、その結果（生成物）を得る」という構造としています。

　本ガイドラインは、①データ入力に際して注意すべき事項、②生成物を利用するに際して注意すべき事項――の2つのパートから構成され、①では知的財産権の処理の必要性や法規制の順守について示されています。②では知的財産権の処理の必要性や法規制の順守、利用による他者の権利侵害の可能性、生成物について著作権が発生しない可能性、生成物を商用利用できない可能性、生成AIのポリシー上の制限、について示されています。

海外のAIの業界団体による指針

　AIの非営利団体Partnership on AIが中心となり、Generative AIが生み出すメディアを安全に利用するためのガイドラインを策定しています※。同団体の会員10社がこれに参加していますが、OpenAI、Adobe、TikTokのようなAIを開発企業とともに、BBC、CBC Radio Canadaのような AI利用企業も参加していることが注目されます。

※ https://partnershiponai.org/wp-content/uploads/2023/02/PAI_synthetic_media_framework.pdf

　このガイドラインは、AIが生成したメディアに特殊なデータを挿入し、また、それをトレースできる機構を追加することを推奨しています。AI開発企業には、メディアを生成する手法と、それを配信する手法を公開することを求めています。技術的な手法としては、AIが生成したメディアにその旨のラベルを付加する、AIで生成されたことを示すメタデータなどが示されています。

　一方、生み出されたメディアを利用して事業を展開するAI配信企業向けのガイドラインも示しています。具体的には、視聴者にAIメディアを

生成する過程を開示し、メディア関係者の許諾を得たことなどを開示することなどが示されています。また、ソーシャルメディアは、配信するコンテンツがAIで生成された旨を表示、また社会に害悪を与えるAIメディアの配信を停止するなどの方法が示されています。

AI運用企業：AI企業の自主規制
　一部のAI企業は、前述したOpenAIやAdobeのように、Generative AIを含めた倫理原則や利用規約、技術面を含む自主的な安全対策を有し、倫理に関わる社内体制を保有しています。このような動向は今後拡大していくと考えられます。

AI自体の開発一時凍結を要望する動き
　2023年3月28日、イーロン・マスク氏やAI専門家、業界幹部らは公開書簡で、AIシステムの開発を6カ月間停止するよう呼び掛けました。これは、社会にリスクをもたらす可能性があり、まず安全性に関する共通規範を確立する必要があるためとされています。OpenAIの最新版言語モデルGPT-4にも言及し、これを上回るシステムを開発停止の対象にすべきとしています。独立した有識者が先端AI開発の安全性に関する共通規範を策定、実行、検証するまでAIの開発を停止するよう呼びかけたものです。

　公開書簡は非営利団体Future of Life Institute（FLI）により公表されましたが、この団体はAIの安全で有益な開発に関して、以下の14事項の検討が必要としています※。
※ https://futureoflife.org/resource/ai-policy/

- 有益なAIの研究開発を可能にする
- グローバルガバナンス、レースコンディション、国際協力

- 経済的影響、労働シフト、不平等、技術的失業
- 説明責任、透明性、説明可能性
- 監視、プライバシー、市民的自由
- 公正・倫理・人権
- 政治操作と計算、プロパガンダ
- 人間の尊厳、自律性、および心理的影響
- 人間の健康、拡張、脳とコンピューターのインターフェース
- AIの安全性
- セキュリティーとサイバーセキュリティー
- 自律兵器
- 壊滅的および実存的リスク
- 汎用人工知能（AGI）とスーパーインテリジェンス

（2）海外を含む具体的問題、今後の問題への対応

著作権、知的財産権への対応（日本・米国）

　インプットとして利用するデータセットの著作権、またアウトプットとの著作権の視点があります。

　日本では、2018年の著作権法改正により、第30条4（著作物に表現された思想又は感情の享受を目的としない利用）に「情報解析の用に供する場合」が導入されています。ここでの情報解析は「多数の著作物その他の大量の情報から、当該情報を構成する言語、音、影像その他の要素に係る情報を抽出し、比較、分類その他の解析を行うことをいう」と定義されており、機械学習の学習データとしての利用が想定されています。また、Generative AIを対象に想定しているわけではありませんが、2018年に内閣官房知的財産戦略推進事務局によって「AIによって生み出される創作

物の取扱い」※が示されました。

※ https://www.kantei.go.jp/jp/singi/titeki2/tyousakai/kensho_hyoka_kikaku/2016/jisedai_tizai/
dai4/siryou2.pdf

　米国は2023年2月24日、米国CRS（Congressional Research Service、議会調査局）が、「Generative AIと著作権法」についての見解を示しています※。そこでは、Generative AIプログラムによる出力が著作権保護の対象となるかどうか、及びこれらのプログラムの使用がほかの作品の著作権をどのように侵害する可能性があるかについて、裁判所と米国著作権局が直面し始めている問題について検討しています。

※ https://crsreports.congress.gov/product/pdf/LSB/LSB10922#:~:text=AI%20programs%20might%20
also%20infringe,created%20%E2%80%9Csubstantially%20similar%E2%80%9D%20outputs

　米国著作権局は「人間によって作成された」作品にのみ著作権を認め、裁判所は、人間以外の著者に著作権保護を与えることを拒否しています。ただし、最近の訴訟では、AIプログラムによって作成した作品の登録申請を拒否したとして、著作権局を訴えました。一例として、画像を生成するAIを用いた事例で、作者は画像の構成、選択、配置、トリミング、編集を行ったとしましたが、著作権局はAIの使用を開示していないことを指摘し、著作権の取り消しを行っています。

　米国の最高裁判所は、写真家が構図、配置、照明などの創造的要素に関する決定を下す場合、写真は著作権保護を受けられると判断しています。Generative AIのツールをカメラと同じように位置付けることもあり得ますが、著作権局は、AIユーザーをアーティスト自身ではなく、「アーティストを雇うクライアント」としています。Generative AIのアウトプットに対する著作権の所有者については、カメラを利用した写真の場合、カメラマン、カメラメーカー以外に、AIのコーディングとトレーニングなどを行った作成者の可能性もあります。

一方、Generative AIによる著作権侵害についての検討も開始されています。米国特許商標庁、Generative AIのトレーニングプロセスは「定義上、著作物全体またはそのかなりの部分の複製を含む」としています。OpenAIは、そのプログラムが「著作権で保護された作品を含む大規模で公開されているデータセット」でトレーニングされ、このプロセスには「分析するデータのコピーを最初に作成する必要がある」ことを認めています。ただし、AI企業は、自社のトレーニングプロセスがフェアユースを構成し、権利を侵害していないと主張する場合もあります。一方で、AI画像プログラムのトレーニングで著作権が侵害されたと主張して、集団訴訟が起こされた事例もあります。

　Generative AIのアウトプットが既存の作品の著作権を侵害した場合、誰が責任を負うか（または負うべきか）という問題もあります。現時点では、AIユーザーとAI企業の両方が責任を問われる可能性があります。

　以上は米国の事例と検討ですが、いずれにしてもGenerative AIと著作権については現時点では明確なルールがなく、また国や具体的な内容により、判断が異なってくると考えられます。そのため、現時点では、著作権侵害のリスクへの対応などの点から、以下のような対応をすることが必要と考えられます。

- 日本と米国などの海外で法規制の相違があることを理解して対応する（日本より欧米の方が一般的に法規制が厳しい可能性が高い）
- Generative AI開発企業には、メディアを生成する手法などを公開し、AIが生成したメディアにその旨のラベルを付加する
- Generative AIのユーザーには、AIメディアを生成する過程を開示し、メディア関係者の許諾を得たことなどを開示する

- AIではなく人間が作ったコンテンツにラベルを付ける（「Not By AI Badges」プロジェクトの例※）

※ https://notbyai.fyi/

リスクベースの規制手法への対応（欧州）

　2021年4月に欧州委員会（EC）が発表したAI法案は、世界で初めての横断的AI規制であり、リスクベースの規制手法の導入が検討されています※。ハイリスクのAIシステムに対して強い規制を課す一方、そうでないAIシステムについては弱い規制を課す方針となっています。具体的には、AIを以下の4段階に分けています（**図表5-5**）。

※ Regulatory framework proposal on artificial intelligence | Shaping Europe's digital future（europa.eu）

- 「許容できないリスク」のAI
- 利用に当たって規制を課すAI（ハイリスク）

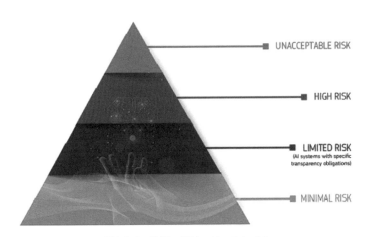

図表5-5　欧州のAI法のリスクレベル

出所：European Comission, "Regulatory framework proposal on artificial intelligence." (Regulatory framework proposal on artificial intelligence | Shaping Europe's digital future（europa.eu）)

- 限定リスクがあり、透明性義務を課すAI
- 最小リスクのAI（規制対象外、自主取り組み対象）

　Generative AI関連では限定されたリスクとして以下が挙げられ、透明性義務を課す対象になっています。

- 人と対話を行うAI
- ディープフェイク技術など、コンテンツ（画像・音声・動画）を生成して操作するAI

　これらについては、AIを使用している旨を通知する義務、コンテンツがAIにより生成もしくは操作されている旨を通知する義務があるとされています。

　また、Generative AIのみの対象ではありませんが、**図表5-6**に示す対

図表5-6　欧州のAI法におけるハイリスクAI

出所：大阪大学招へい教授（同大学社会技術共創研究センター）三部裕幸、2022年10月26日、「EUのAI規則案の概要」(https://www.soumu.go.jp/main_content/000842190.pdf)

分野	利用例
自然人の生体識別・分類	民間企業による自然人の遠隔生体識別
重要なインフラの管理・運営	交通管理、電気水道ガスのセーフティコンポーネントとして使用
教育・職業訓練	入学の決定、割り当て、学生の評価、入試の評価
雇用、労働者管理、自営業へのアクセス	面接での評価、昇進や労務契約終了の決定、パフォーマンスや行動のモニタリング・評価
重要な民間・公共のサービス及び給付へのアクセス及びその享受	公的扶助の給付やサービスを受ける自然人の適格性を評価、自然人のクレジットスコアを確立
法執行	ポリグラフとして使用、プロファイリングで犯罪・再犯予測
移民、難民などの保護及び国境管理	難民などの保護・査証・居住許可の申請の検討支援
司法の運営及び民主的なプロセス	司法機関の事実・法律の調査や解釈、事実への法適用の支援

象は欧州のAI法におけるハイリスクAIとされ、使用に当たっては定められた条件を満たす必要があります。ホワイトカラーや管理職が利用する可能性のある分野が含まれており、今後、日本を含め幅広く適用される可能性や、順守しない場合のリスクが大きいなどを踏まえて対応していくことが望まれます。

業界団体、個別企業による自主的対応（ソフトロー）の必要性

　欧州ではAI倫理面への対応を法規制のようなハードローで行うとしていますが、それに至る以前に、産業界主導のソフトローアプローチ、任意のラベリング制度、法律で義務化、それらの組み合わせといった4つのオプションで検討していました。産業界側は、産業界主導のソフトローアプローチ、任意のラベリング制度への要望が大きかったとされ、具体的に「信頼できるAIに向けた倫理ガイドライン」※を示して企業にその行動を促すソフトロー的手法もあります。

※ https://digital-strategy.ec.europa.eu/en/library/ethics-guidelines-trustworthy-ai

　米国では、NISTのAIリスクマネジメントフレームワーク、説明可能なAIの4つの原則などで、法規制のようなハードローよりは企業、業界によるソフトローでの対応が中心になっています。

　このように欧米では、法規制のようなハードローのみでなく、ガイドラインや業界・企業の自主基準などソフトローも組み合わされており、日本でもそのような方向での対応が進むと考えられます。Generative AIに関する業界・企業の対応としては、前述したAIの非営利団体 Partnership on AIが中心となった「Generative AIが生み出すメディアを安全に利用するためのガイドライン策定」が参考になります。

企業におけるGenerative AIへの対応では、前述したOpenAIやAdobeの例が参考になります※。Microsoftもチームが責任を持ってAIシステムを開発・展開できるよう、責任あるAI（Responsible AI）の原則と基準（Standard）を指針としています。政府の法規制に先駆けて企業や業界団体が自主的対応を行うことは重要であり、今後増加すると考えられます。

※ https://blog.adobe.com/jp/publish/2023/03/21/cc-responsible-innovation-in-the-age-of-
　generative-ai

　また、ユーザー側も、Generative AIの利用、さらに情報源となり得るデータセットに関して、責任ある倫理的対応を行うことが必要と考えられます。

インタビュー：**杉山 恒太郎 氏**

ライトパブリシティ　代表取締役社長（以下、敬称略）

クリエーターには正解より面白さや意味が求められる

　まずはじめに。

　2017年の5月、馬渕さんと沖縄の読谷（よみたん）村でのカンファレンス、マーケティング・アジェンダでのキーノート・スピーチに呼ばれ登壇、2人して議論を交わしました。テーマは「AIとクリエーティブ」。シンギュラリティという言葉が世界を駆け巡り始めた真っ只中、世界チャンピオンの将棋の棋士も遂にAIに敗れたとニュースも相まっていつ人間はAIに支配されるのか、そんな話題が旬でもあった時代です。そして今、対話型のAIで生成系AI・ChatGPTの突如の出現に僕らの周りでもその話題で騒然とし喧しい！2045年を待たずして真のシンギュラリティが遂にやって来てしまったのでは、と。そんな2023年初夏、再び馬渕さん（今や畏友のひとりだ）と話す機会を得たことは光栄でもあるし意義深いものかも知れないと思い、このインタビューを受けました。（杉山記）

——ビッグデータ、AIの活用から、ChatGPTが出現してきて、文章や画像が簡単に手に入るようになり、一般的なホワイトカラーだけでなく、クリエーターにも大きな影響が想定されます。クリエーティブ・ディレクターとしてのご経験から、ChatGPTのような生成系のAIをどう位置付け、課題はどこにあるとお考えでしょうか。それに対してクリエーターにはどのような能力、経験、教育が求められるか、といった点を伺えれ

ばと思います。

杉山：ビッグデータと先端AIをぐるぐる巡らせ答えを導く、すると誰でも同時に"正解"（と思わせる 笑）というものが手に入ってしまう、そういう時代になってしまいました。

　例えば企業でいえば、競合相手も同じ答えを簡単に手に入れているはずだし、肝心なのは問題解決力の優劣ではなくて、いかに"ユニークな問題を創造できるか"にかかっているのでは。その点はChatGPTとどう付き合うか？　その課題はAIが更に進化しようとこれからも変わらないと思います。

　ビジュアルも、動画映像も、音楽も、キャッチコピーまでも、AIで自動生成し、まあまあの正解は出てくるものの、クリエーティブにはその正解にはほとんど意味がありません。面白いか否か、それだけがクリエーティブの真価なのです。

　心配なのは、我々はAIに比べてノロマだし、愚かだし、太古の昔から変わることなく妄想に振り回され、決して合理的には生きてないし生きられない、そんな我々人間とどこまで付き合ってくれるのか、今は"AI対人間"の関係で語られているけれど、その内、我々人間にあきれ果ててAIはAIとしか相手にしなくなって、"AI対AI"の関係に世の中変わってしまったら、それこそSF的なディストピアの始まりではと杞憂しています。

――若いクリエーターはどうしたらいいんでしょう。

さて、困りましたね（笑）

　かつてスティーブ・ジョブズはスタンフォード大の卒業式で学生に向かって「stay hungry stay foolish」と言ったけど、どこまでfoolishでいられるか、マヌケでノロマでいられるかでしょうね。

　もし賢くなろうとしたら、ChatGPTの思う壺（笑）瞬く間に魂ごと抜かれてしまうのではと思います。この時代、foolishで居続けることは本当に難しい、もちろん反語的なアイロニカルな意味でもありますが。

　こんな話が参考になるかもしれません。例えば、コードとモードというものがあって、かつてビートルズの音楽を聴いてコピーしようとすると"コードが見つからない。分からない！"。なぜならば彼らはコードではなくモードで弾いてるからです。コードという記号をモードという魅力、様式に昇華させることがクリエーティブかも知れませんね。「センスを磨く」って言葉があるように、センスは持って生まれたものでもあるけれど、磨けば輝くものでもありますよ。

　しかしながら、ChatGPTがもし"コード"から進化して"モード"の領域まで進出してきたら素直に降参！しましょうね！お手上げです。無駄な抵抗はやめましょう。

　「戦わずして勝て！」孫子の兵法の真骨頂、最高に上品な勝ち方ですから。どんな時代でもクリエーターでいるってことは自由人で居続けられるか、です。自由はつらいですよね。孤独と責任が伴いますからね。

　かつてデジタル毛沢東主義なんて言葉が世界で語られてましたが、現

代人は皆この情報社会に疲れていて「自分で判断する」ってことがわずらわしいし、耐性もできていない。そのうえ、自由を捨てれば同時に孤独も責任もまぬがれる、こんな社会が始まっているような気がします。民主主義の終焉とささやかれているのもここに起因することだと感じます。

　ChatGPTは対話型AI、孤独を紛らわせてくれるだろうし、彼らが世界を覆う下地は十分できている。危険だ！と安易に警鐘を促す気は全くないけど、問題は常に向き合う我々側の方だということは忘れたくないですね。

——対話型AIと付き合うには、そうですね。まず"スキル"ってなんだろうとイメージしてほしいですね。

　日本のラグビーを革命的に強くしたエディー・ジョーンズが、「テクニックもスキルも日本語だと同じ"技術"という言葉だけど、テクニックという面では日本人はすごくて、パス回しなんかは正確だけど、でもスキルがない」と、語っていました。

　それは、つまりゲームの中では相手というものがいて、日本人はチームプレーが得意というのは全く誤解で、チームプレーというのは自分を捨てて貢献し合うことではありません。相手を翻弄する、相手がびっくりするような動きをした時に、一緒になって味方がびっくりしてはまずく、そのあり得ない動きを味方がした時に、どれだけ仲間が素早くそれをアクセプトできるかという、そのやりとりがチームプレーで、決して日本人はチームプレーがうまいというのではありません。結束力とか決まりきったことは強いと思いますが、それはチームプレーではないのです。

だから、たまたまサッカーでドイツやスペインに勝っても、サッカーは1点、2点のロースコアゲームなので、10回に1回くらいはそういう奇跡は起きます。でも決してドイツやスペインより強くなったわけではない、勘違いしないように（苦笑）

── あなたは、今ある世界を合理化したいのか、新しい世界を創りたいのか。

　皆さんに伝えたいのは、ChatGPTは今ある世界を合理化していくもの、それに対して今の世界の境界をもとに世界を新しくしていくものがクリエーティブです。ChatGPTと競合していくものではなく、共棲していくものではないかと。つまりbordery（結界）を超えていくのがクリエーティブ。borderyの中で合理化するのがChatGPT、そもそも競合するわけがない！

広告クリエーティブは目的表現であり、ビジネスです

　表現者という意味では、芸術家も広告クリエーターも一緒です。ただし、広告は目的がはっきりしている表現で、目的芸術とも言われ、広告は表現でありながらビジネスなのです。アートのように表現者として自分の内から始まる動機というものはほぼありません。

　アーティストにとって、表現と作品は“魂の救済”、内側からメラメラ出てくる動機があり、それを表現したい人です。我々の動機は内面ではなく、クライアントからオーダーが入り、これをどういうふうにして、どういう結果をもたらしたらいいのかという“謎解きゲーム”、僕の場合は「成功イメージを教えてください」と聞きます。

そうすると、その成功イメージがうまく、なるべく早く手に入るような
コミュニケーションあるいはクリエーティブ表現って何だろうというふ
うになるので、内側から芸術家のように動機があるわけではありません。
「クリエーティブは顧客の発見を手伝ってあげること」それが役目なんだ
と思います。

――そこのハイレベルな受け取る感性みたいなものは、重要だと思うん
ですけど、なかなかトレーニングしても手に入らない気もします。もの
すごいトレーニングをしたから、それを受け取れるやつが出てくるかと
いうと、そんな感じじゃないと思うんですけれど、そこはやっぱり感性
的なもの、その人が持っている感覚とかですか。

　はい、prompt/プロンプト（指示文章）という言葉がありますよ
ね。ChatGPTのアウトプットに"期待はずれ"という声も多く聞くけど、
ChatGPTはあなたの"映し鏡"、プロンプトには人の教養と知性が問われ
ます。

　スティーブ・ジョブズも言ったように、"過去はいつも新しく、未来は
常に懐かしい"。この言葉に現れているように、本当の新しさは歴史の中
からしか生まれない。要するに歴史ですよね。

　言葉を換えて新しくするということもあり、日本ではそれを「パクる」、
もうちょっときれいに言うと「引用」「剽窃」とか「本歌取り」という言葉
になり、一番分かりやすい日本のメソッドを「写し」と言います。この写
しというのは素晴らしく、故に日本は世界で最も優れた加工国といわれ
る所以ですね。

例えば漢字を中国から受け入れそのまま使うだけでなく、ひらがなとカタカナというものを考案し、我々日本人の感性に合わせて加工するのです。写しをしてより魅力的にしていくとか、より自分たちの細やかな感情を表す言語を作っていくとか、日本はただまねるわけではなく、そこに「洗練」を加えることができる極めてまれな民族です。

「非認知能力」で生き抜く力を養うトレーニング、教育が必要

――求められている社会的な能力は、今までは積み上げ的な能力でしたが、これからは起業家的な考え方、アントレプレナーシップ、テクノロジーの理解、突破力みたいなものであると思います。しかし、最近の研究では学校の勉強ができる人ほど、これが身に付かないことが分かりました。

　必須5科目（数学・国語・社会・理科・英語）はもう座学でやるものじゃなくなって、そんなのもう全部SNSとかで学べばいいことです。せっかくの学校の時間で今必要なのは、非認知能力のところに重点を置くことで、そうしないと生き抜く力が身に付かないです。

　「非認知能力」とは、物事に対する考え方、取り組む姿勢、行動など、日常生活・社会活動において重要な影響を及ぼす能力で、子供の将来や人生を豊かにする力です。IQや学力といったテストなどで評価している「認知能力」に対する言葉ですね。

――学習意欲さえあれば、子供の頃からいろいろ気になったことを質問すれば、ChatGPTはどんどん答えてくれます。

　だから生き抜く力というのか、"非認知能力"を高めること、トレーニ

ングすることが可能なら、学校というものが存在するなら必要です。学校の教室に閉じ込めて、先生という正しい人とその前に50人余集めて、座学するところから、どれだけ早く解放させてあげるかという方向に向かっています。あと、1年生から6年生までそれぞれクラスの壁を取り払うこと。社会は一緒だから一緒でもいいじゃないかというところに来ているのではないでしょうか。バリ島のグリーンスクール※みたいなのが、僕は必要だと思います。

※ 幼稚園から高校まであるグリーンスクールアメリカの国際教育認定組織WASC認定校のインターナショナルスクール。学びはグリーンスタディーズ、環境科学、起業家学習、クリエーティブアートが特徴

人類に夢と希望を与えるのがクリエーティブの力

――これからクリエーターの生きる力をどう得るかみたいな話だと思います。テクノロジーの恐怖は今始まったことではないのです。もしまだ観ていないなら、チャップリンの『モダンタイムス』そして『2001年宇宙の旅』のHAL（ハル）を観てほしいです。

　話は戻って、馬渕さんとの沖縄での最初の対談の時、僕が最初に考えたのは、決していい歳して「若者ぶって新しい話を知ったかぶるのやめよう！」と。その代わりに歴史からひも解こう、ということでした。

　テクノロジーへの恐怖は今始まったことではなく、あの産業革命以降度々表現されて来たことであることを話そう、ということでした。その中の秀逸の一つがチャップリンの映画『モダンタイムズ』（1948年）です。その象徴である工場の大きな歯車の一部と化したチャップリン、しかしその顔には怪しい微笑みすら浮かべます。自己を消し支配されてることを実は望んでいる人間の暗部を笑いで包む傑作でもあります。

そんな僕の説明にその場の若者たちは熱心に聞き入ってくれました。そして6年後の今なら、映画『2001年宇宙の旅』（1968年）に登場したAI HAL9000の話をするでしょう。HALはチューリングテストをクリアーするほどの高度なコンピューターで人間と普通に話をするのです。まさに“この時代に既にChatGPTの原形が現れていたのだから”この映画はすごい驚愕です！

　そしてなにより人間の制御を超えて“AIの反乱”を描いているのです。そして、誰かいち早くChatGPTを風刺化してこの時代を映す傑作映画を撮ってほしいものだと早くも願っている僕がいます。

　さて、最後に一言。クリエーティブには、人類に夢と希望を与えてほしいものです。答えのようなものをGPTやAI技術が瞬時に出す時代、答えではない夢、希望、明日を生き抜く力を示せるかがクリエーティブの力ではないでしょうか。「この人の話を聞くと元気が出る」「この人といると楽しい」「この人にもう一度会いたい」、これがクリエーティブの力です。

AIはクリエーティビティを拡張する

――今回は、現役クリエーターのさわえみかさんにAIについてお話を聞いてみたいと思います。さわえさんは、Generative AIをどのように活用されていますか？

さわえ：かなり活用しています。AIはちょっとした提案書に使う絵の基になるものも作ってくれるし、映像もイメージしているテイストに近いものを提案してくれます。最近は、制作の依頼に不慣れな方から「メタバースでこういうイメージを作りたい」という依頼も多いため、その方の思い描いている世界の擦り合わせをするのに、AIを使って壁打ちをします。

ただAIで100%イメージに合ったものを作ることはできません。AIに「こういうイメージ」という方向性を伝え、そのAIが提案してくれたものに手を加えながら、自分の作りたいものを仕上げていきます。

AIはツールです。

私のチームメンバーもAIをよく使っています。例えば、ざっくり広さや構造をモデリングしたグレーな空間に、いい感じにAIに指示して完成形のイメージを作ってもらう。簡単なプロップや床や壁のテクスチャーなどもAIにどんどん生成してもらっています。AIでできることはAIを使い、人にしかできないことに注力することをしています（**図表5-7**）。

図表5-7　AIで作ったテクスチャーの服を着たアバター
出所：さわえみか

——3Dモデルや音声もAIが作成してくれますよね。

　そうですね。しかしまだ私たちが使う実用性のある3Dモデルのデータのアウトプットまではできないと思いますが、そのうちに解決されていくと思います。

　AI音声は、私の周りは盛り上がっていますね。メタバースでは声がとても重要な要素で、好きな見た目を選択した後は、やっぱり好きな声になりたい。AIを使えば、いろんな人の声をミックスして、自分好みに調合して使うことができます。

　当社の社内ミーティング中も、「今の声、誰??」「あ、これが僕の新しい声です！」と、笑いが起きることもあります。メタバースに特化したEC

サイトVket Storeでも「声帯」というカテゴリーができており、声帯の販売も始まっています。有志の声を集め、それをミックスして（お酒の）カクテルのように売っています。今は、AIをどう使っていくか、が大事な時期かと思います。

　ローカルで自分の秘伝のスープを作るようにStable Diffusion 4を使っている人もいます。その人に依頼をすれば、その人のタッチで絵が生成されるという感じで、私の周りのコンセプトアーティストたちは、新しい便利なツールが出た！と楽しんでAIツールを使っている人も多いです。

　最近、フランス人の友人が作った、Skybox 5を生成するAIがあるのですが、とても便利！　また、ぽやっとした絵をきれいにベクターデータ化してくれるAIはタッチを変えるのに優秀で、たくさんの発明が国内外で生まれているのを感じます。

―― さわえさんが触ってみたものでお気に入りのAIツールはありますか？

　いろいろ触ってみましたが、好きなのはMidjourneyです。Stable Diffusionは、自分が思う「こうだよね」というところに使います。Midjourneyは「こんなの出てくるの？」と、意外な発想を出してくれるので、アイデアの壁打ちで使います。あと、楽なので（笑）

　また、ChatGPT4などでアイデアの壁打ちやネーミングのたたき台なども活用していて、重宝しています。資料を作ったり、文章を書いてもらったり、助かっています。

——今後は、AIをどうメタバースに組み込んでいくかが注目されていますね。

　例えば、メタバース空間やアバター、接客、案内などに人格を持ったAIを導入して、自分たちの世界を自分たちの好きなように作っていけるようにしたいと思っています。当社は既にメタバース上で活動しているメンバーで形成されているので、自由度の高い、場所に縛られない世界を作り上げていきたいなと思っています。自分の世界に、自分ナイズされた配置ができたら、とっても楽しいですよね！

　ほかにもいろいろ考えています。デジタル空間とAIは相性いいですからね。楽しいこと、たくさん仕込んでいます（笑）

——NFTやブロックチェーン、メタバースなど、今後のデジタル技術についてどう考えていますか？

　テクノロジーとデジタル空間はつながっているため、いくつかあるデジタル技術もこれらを分けずに考えることが必要だと思います。私たちの開発メンバーの中には「AIの嫁と結婚するぞ」と、自分好みの恋人をイメージしたAIを生成し、3D空間内で会話をできるようにして、現実世界に持ち出している人もいます。めちゃくちゃ楽しいですよね！

　メタバース、VR、MR、AR、AI、NFT、ブロックチェーンなどなど……分ける必要がなくて。やりたいことに技術をどう使っていくかが大事になってくると思います。私たちは毎日技術で遊んでいます（笑）

　そこから発明も生まれていきます。

──これからのクリエーターの働き方はどうなりますか？

　AIを使うのはスキルです。ExcelやPowerPointのスキルがあるのと同じような感じです。私たちは、「AIをうまく使えるスキル」も高く評価しています。

　絵で言えば、自分で描かなくても、AIで物を作って何か擦り合わせたり、壁打ちしたり、イメージを効率よく早く出すことができるというスキルです。声で言えば、その人が望む声帯を与えることができるスキルなど…

　これは新しい職業じゃないですか！

　そういう新しい技術を使ってみることによって、「これはできないけども、AIにさせることは得意だ！」と気付き、新しいことへ挑戦するきっかけになるかもしれないですね。

　逆に、絵が描ける人でもそれをしないと、効率が上がらないからその人に頼めないみたいなことになってくるかもしれません。デジタルで活動する人は、まず触ってみて新しい分野にもチャレンジしてほしいと思います。

VketStore　https://store.vket.com/ja

SkyboxAI　Blockade Labs　https://skybox.blockadelabs.com/

第6章 Generative AI の未来

6-1
Generative AIの将来の展望

(1) Generative AIの将来の方向性

Generative AIは、将来以下のような方向に進むと考えられます。

①汎用のAGIと特化したAIの両方向への進化

OpenAIのサム・アルトマンCEOは来日時の資料の中で、「OpenAIの使命は、汎用人工知能（AGI）が人類全体に利益をもたらすことを確実にすることです」としています。汎用人工知能（AGI）は、人間が実現可能なあらゆる知的作業を理解・学習・実行できるAIと言えます。それはAIの一つの究極の形であり、第2章で述べたシンギュラリティを超えることになります。実現は難しくまだ先のことですが、大規模言語モデルの一層の拡大などにより、徐々にそこに近付き、そうなるとAIと人間の役割分担は大きく変わることになるでしょう。

一方で、汎用的ではなく、専門特化されたGenerative AIを実現することも考えられます。例えば、法律、会計、マーケティング、研究開発などに関するデータセットを用いて学習させて実現することが考えられ、実際に医療や創薬などではそのような方向で既にかなりの成果が出ています。また対象者のレベルや状況に応じて、教育、相談、メンタルケア、商品のレコメンドなどをするようにさせたり、複数人の要望や意見を聞いてその調整に特化させたりする方向も考えられます。社内情報を用いて、社内のリソースを生かし、新規事業や投資、提携などの判断、意思

決定のアドバイスなどを行えるような方向での特化も考えられるでしょう。こちらの方は汎用人工知能（AGI）より実現しやすく、より短期に実現が進み、ホワイトカラーの働き方にも影響が出てくるでしょう。

②マルチモーダルな基盤モデルへの展開

　マルチモーダルとは、複数の種類や形式のデータに対応するという意味です。代表的には、2023年3月に公開されたGPT-4はテキストに加えて画像の意味も理解できるマルチモーダルな基盤モデルになりました。GPT-4は、文章に加えて複雑な数式や図などが含まれる大学レベルの物理のテストも解けるとされています。

　このインパクトは大きく、第一にマルチモーダルの基盤モデルをプラットフォームとしてユーザーインターフェースが変化し、新しいアプリが生み出されることになります。これは、スマートフォンにより新たなアプリやサービスが生み出されたことに似ていて、インパクトはそれ以上になると考えられます。アプリ間の連携も進みやすいと考えられますが、規格・標準化やオープン化は課題になる可能性があります。

　マルチモーダルは、テキスト、画像のみでなく、音声も対象になると考えられ、その基盤は既に確立しつつあります。

　マルチモーダル化は、働き方にも大きな影響を与えると考えられます。作業の生産性向上や一部知的作業の代替のみでなく、視覚障害者や聴覚障害者、一部身体機能が衰えた高齢者の労働参加、働きやすさの向上も可能になるでしょう。

③ロボット技術、メタバース技術などとの融合

　Generative AIを含むAIの進化は著しいのですが、AIは知識や知能の面で人間の代替をしても、実際は移動や操作など、人間の手足になる部分の代替は完全にはできません。自動運転の車、高齢者の介護用ロボットなどの知的部分はAIが支援しても、移動やアームによる操作の機能が必要になります。

　また、仮想のサイバー空間を構築して活用したり、それをリアルな空間と結び付けたりするメタバースやデジタルツインといった技術も重要になります。アバターを活用して会議に参加、遠隔から労働参加するような働き方は、既に現実のものになりつつあります。

　一般に、Generative AIを含むAIの技術進展スピードに対して、ロボット技術のようにリアルな空間での移動、操作を伴う技術は、機能の高度化、安全性の問題への対応などにより実現が遅くなります。またメタバースもVRやAR技術の実現や利用の点で意外に時間がかかっています。

　ホワイトカラーの働き方にすべてが関係するわけではありませんが、ロボット技術やメタバース技術などの進展と、Generative AIを含むAIとの融合、リアル空間＋サイバー空間でのデザインや設計などへの活用は、今後注目すべき領域と言えるでしょう。

④DX化に出遅れた日本のGenerative AIによる巻き返し

　日本はデジタル化を進めているとはいえ、欧米だけでなく中国や韓国と比較しても後れを取っていると言わざるを得ません。その背景には、技術面よりは法規制、導入する企業の意識や投資といったことが背景にあると言わざるを得ません。Generative AIについても、大規模言語モ

デル構築やそれを基盤としたアプリやサービス提供も、欧米の大手企業やスタートアップ企業が全般に進んでいると思われます。ただし、欧米では法規制や文化的背景などから、Generative AIの規制が進む一方、日本の政府や企業のGenerative AIの導入意向は高まっていると思われます。

　Generative AIの利用はパナソニック コネクトの事例に見るように、自社による導入・利用であれば、IT技術者が少なくても比較的小規模な投資で可能と考えられます。また、一部日本企業は、日本語や自社の強みを生かした独自のGenerative AIを開発し、利用する動きも見られます。

　Generative AIは、DX化で遅れた日本の状況を大きく変える可能性があります。

(2) Generative AIの課題への対応

　前項ではGenerative AIの有望性や長所を中心に将来の可能性を示しましたが、Generative AIには不得意なことや課題も存在します。その点は将来にわたって改善され、解決するのでしょうか。推測も交えながら考察します。

①最新情報への対応
　Generative AIは過去のデータを学習しており、最新の情報には対応できないとされています。実際、GPT-4でもGPT-3.5と同じく、基本的には2021年9月までのデータをベースにしていて、2021年10月以降に起きた出来事については正確な回答を出せないとされています。これは

Generative AIの学習の仕組み上、致し方ないと思われますが、情報の収集、学習のプロセスを迅速化することで、ある程度向上すると考えられます。最新情報は検索する方が正確で、それを人間もしくはシステムが併用することで解決すると考えられます。

　実際に、Googleが2023年5月10日に発表した新しいGenerative AIでは、検索と組み合わせ、最新の情報を反映できるとされています。

②未来予測への対応
　ChatGPTは未来予測を行わないとされています。これは過去のデータを蓄積、活用しているため、未来予測が目的ではないと考えられます。しかし、確実な未来予測はどのような仕組みでも不可能であり、回帰分析のように過去のデータを解析、予測することが行われています。ただ、直近足元のデータを確実に把握することが重要で、その点は上掲の①最新情報への対応問題とも関係しています。

　なお、Generative AIのコア技術であるTransformerは、時系列の予測にも活用が可能であり、利用が拡大しているとされます。

　以上の点から、Generative AIによる予測は十分可能であり、さらなる精度向上や利用範囲拡大は進むと考えられます。

③間違いをなくすこと
　Generative AIのトランスフォーマーの仕組みから、一定の誤りがあることは仕方がないと思われます。ただ、データセットやパラメーター数の増加などから、将来的に精度が向上すると思われます。また、ChatGPTでも不確実なことを断定的に示してくる場合があり、表現の仕

方で受け取る側の印象が随分変わると考えられます。いずれにしても、ある程度の間違いがあることを前提に、人間が事実確認を行うことは将来も必要と考えられます。

④判断や意思決定への活用

パナソニック コネクトへのインタビューでも、「最終的な判断や仕上げは人間が行う必要がある」とされていました。実際、事実関係の誤りがあり、その確認が必要なことは上に示した通りです。一方、判断や意思決定は現在から将来に起こることに対して行われ、主観的な側面もあるため、それが適切かどうかは人間の場合でも確実ではありません。そのため、Generative AIによる示唆を直接判断や意思決定に活用するのではなく、アドバイスとして捉え最終的な判断や意思決定は将来的にも人間が行うことが必要と考えられます。

⑤倫理や規制への対応

Generative AIの有用性により利用が拡大するにつれ、個人情報などのデータ活用、誤りの提示やその悪用、著作権の問題、教育利用での弊害など、課題も明らかになってきました（第5章を参照してください）。ガイドラインでの対応や規制強化は今後一層拡大すると考えられます。その中には、企業の技術的対応、業界団体でのガイドライン作成などで対応できることもあり、行政側の動きのみではない自主的対応も必要と考えられます。

（3）Generative AIのロードマップ

Generative AIの精緻なロードマップを作成することは現段階では困難ですが、一例として表にまとめます（**図表6-1**）。

図表6-1　Generative AIの推移と見通し
（網掛けが濃い順に「試行段階」「実装段階」「実用化段階」）
出所：SEQUOIA, "Generative AI: A Creative New World." (Generative AI: A Creative New World | Sequoia Capital US/Europe) を基に作成

	～2020年	2020年	2022年	2023年	2025年	2030年
文章	●スパム検出 ●翻訳 ●単純なQ&A	●ベーシックなコピーライト ●当初ドラフト	●より長文 ●セカンドドラフト	●科学的な論文などを作成できるレベル	●平均的な人間以上のドラフト作成	●専門家以上のファイナルドラフト作成
コード	●1ラインのオートコンプリート		●より長文 ●精度向上	●多言語対応 ●言語間の変換	●テキストからの製品ドラフト作成	●テキストから製品（開発者以上）
画像			●絵画 ●写真	●モックアップ（製品デザインなど）	●製品デザイン（最終ドラフト）	●製品デザイン（プロ以上のレベル）
ビデオ/3D/ゲーム			●3D/ビデオの最初の試み	●3D/ビデオ（基礎、ドラフトレベル）	●セカンドドラフト	●パーソナライズされたゲームや映画
音声	●音声合成技術の利用（Siriなど）			●音声を含むマルチモーダルの試行		
マルチモーダル				●テキスト＋画像（GPT-4）	●テキスト＋画像＋音声	●嗅覚、味覚などへの対応の試行

①テキスト

　自然言語を正しく理解して文章を作成するのは難しいのですが、大規模言語モデルとデータセット容量、パラメーターの増加により、今後その能力は一層向上すると考えられます。実際、GPT-3（3.5）では1,500語程度の文章作成が可能でしたが、GPT-4では2万5,000語程度と一気に16

倍以上にまで増加し、今後もこの傾向は継続すると考えられます。かなり長い文章でも、一般的なリポートのドラフトを十分に作成できるようになります。Gartnerは、2025年までに大企業から送信されるマーケティングメッセージのうち、合成的に生成されたものは、2022年の2%未満から2025年までに30%になるとしています。

文章生成においては品質の向上が求められ、現段階では最終的な判断や編集は人間が行うことが必要とされています。今後文章の品質は向上するとみられますが、最終的な判断や完成は事実関係の正誤のチェックも含めて人間が行うことが必要と考えられます。

②プログラミング

MicrosoftのGitHub Copilotの例が示すように、コード生成は、時間短縮、プログラミング言語の変換なども含めて、近い将来、開発者の生産性に大きな影響を与える可能性があります。また、開発者以外の一般の人がコード作成、プログラミングできるようになると考えられます。

③画像

画像生成の利用もかなり行われていますが、現在は画像を生成、編集、加工し、SNSで共有して楽しむといったことが主流です。プレゼン資料を作成したり、製品や建築物のデザインをしたりすることも既に行われています。今後はさらに編集、加工する手法の高度化、テキスト生成との連動などにより、インダストリアルデザインや製品モックアップの作成など、利用範囲が拡大することが考えられます。

④ビデオ/3D/ゲーム

映画、ゲーム、VR、建築、物理的な製品デザインなどのクリエーティ

ブ市場を開拓する可能性が考えられます。研究分野では既にかなり利用され、生体分子の3Dモデルが新たな発見や創薬などに利用されつつあります。ただし、クリエーターの世界では、まだ3Dは課題が多いという見方もあります。Gartnerは、テキストから映像までを生成するAI生成コンテンツが2022年の大ヒット映画では0%ですが、2030年までに90%を占めるとみています。アニメやゲーム市場は大きく、Generative AIが利用されやすい領域と考えられます。

⑤音声合成

音声合成はSiriのように、一般消費者向け、ビジネス向けアプリケーションが登場してから、それなりの時間がたっています。今後は、技術開発により、Webサイトの説明動画や製品チュートリアルなどへの利用が拡大すると考えられます。また、複数人の音声を合成し活用することはクリエーターの世界では行われていますが、楽曲の生成などもより広く行われる可能性があります。

⑥マルチモーダル

前述したように、GPT-4はテキストだけでなく、画像の意味も理解するようになり、マルチモーダル化が進みました。音声についても十分に対応可能で、テキスト＋画像＋音声のマルチモーダル化の実現は短期に実現可能な状況です。さらにほかの人間の感覚器である嗅覚や味覚への対応は基礎研究かそれ以前のレベルですが、個人の嗜好や主観との関係が強く、Generative AIに適した対象として今後研究開発が進む可能性があると考えられます。

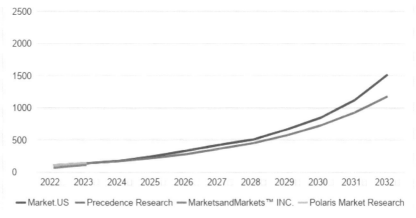

図表6-2　Generative AIの世界市場に関する各社の予測（左軸：億ドル）

（4）Generative AIの市場予測

　Generative AIの世界市場は、各社の推定、予測結果を見ると、2022
年に100億ドル程度でしたが、2032年には10〜20倍程度の1,200億〜
2,000億ドル程度まで増加するとみられています。ボストン・コンサル
ティング・グループは2027年に1,210億ドルと今後5年以内にGenerative
AIの市場が1,000億ドルを超えるとみています（**図表6-2**）。

　分野別にはメディア＆エンターテインメントが30％以上、自動車・輸
送が20％強と比率が高いですが、IT・通信、ヘルスケア、銀行・金融・
保険サービスも10％以上であり、製造業・サービス業で幅広く利用され
ると考えられます。

　製品別には、2022年段階ではソフトが売り上げの3分の2近くを占める
とみられますが、今後はサービス市場が拡大する可能性があります。

地域別に見ると、2022年には北米が40％強、欧州が25％程度、アジア太平洋地域が20％強で、米国市場が先行していますが、今後の市場成長率はアジア太平洋地域が高いとみられます。

　技術別には、2022年ではトランスフォーマーの利用比率が4割以上と高く、大規模言語モデルによるテキストデータの生成比率が高いとみられます。ただし、GAN、Diffusion model、VAEの利用も多く、今後はテキストベースのみでなく、画像や音声を含むマルチモーダルでの処理、生成が増加すると考えられます。

　ただ、これらはあくまで現状での見通しであり、2023年に入って以降の急速なブームや規制の動向を十分に反映していない可能性があります。また、社内データへの適用なども増加すると考えられ、予測の数値を信じるのみでなく、個々の製品、利用ベースで検討することが重要と考えられます。

6-2
Generative AIによって生まれる新しい
ビジネス機会とホワイトカラーの仕事

(1) Generative AIによって生まれる新しいビジネス機会

　第3章では、現状のGenerative AIのビジネス機会や参入企業の状況を説明しました。ここでは、6-1で述べた将来の方向性、有識者へのインタビューを踏まえ、将来のビジネス機会をいくつかの視点から示します。

①働き方改革、業務の生産性向上に寄与するビジネス
　Generative AIが雇用や業務に与える影響は大きく、これは企業の成長、従業員への還元、他社に対する競争優位性の点からも重要です。Generative AIを導入しつつ、収益性を高め、人材採用や育成を含む従業員への還元ができない企業は、他社に対する競争優位性を失います。

　そのため、企業へのGenerative AI導入支援事業は有望です。現在、GPT-4、ChatGPTなどを含むGenerative AIを利用したアプリ開発を行うスタートアップ企業は多数存在します。しかし、企業への導入は企業自身が行う場合も多くなると思われ、そこで重要になるのは、「非常に汎用性が高いか」、逆に「特定の業種や職務に特化して専門性が高いか」のどちらかだと考えられます。

　汎用性が高い例として、Microsoftの取り組みがあります。Word、Excel、PowerPointにAIが組み込まれることでホワイトカラーの業務に

大きく貢献するほか、プログラムコードの作成やAzureを活用する比率が増加し、その部分の売り上げ増が期待できます。ただし、このように汎用的なツールで成功するのは、Microsoftのような既存のツール、事業と相乗効果があり、かつOpenAIの開発成果を活用できるからであり、一般的にはかなり難しいと考えられます。

　ビジネスチャンスは、特定の業務や職務、また企業特性に沿ったGenerative AIの開発・活用にあります。個別企業向けであれば、コンサルティングのような仕事が短期的には有望かもしれませんが、この場合でも企業の内製指向があり、それに対する差異化や優位性は必要です。例えば、複数企業の同種業務のデータセットを使うことで、経理、法務、調達などで事業性があるかもしれません。

　現在のGenerative AIの業務支援ビジネスは、特定の経営機能に特化されていますが、今後はバリューチェーンの多くの部分でGenerative AIが活用されることが想定され、その一括支援のようなビジネス形態が考えられます。ビジネスパーソンの支援という視点では、パーソナルアシスタント、パーソナルエージェント的な利用であり、業務の支援以外に、メンタルヘルスケアなどの機能付与も考えられます。

②クリエーターを支援するビジネス

　クリエーターは既にGenerative AIを活用しており、著作権を含む知的財産権問題に関連するビジネスが考えられます。知的財産権を侵害しないように著作権フリーの対象で利用したり、著作権者に対価を支払って利用したりすることが考えられますが、クリエーター自身がこれらの活動を行う可能性が高く、ビジネスとしては工夫が必要です。例えば、Generative AIのマルチモーダル化が進むので、現在はまだ難しい3Dデ

ザインや動画への適用、画像＋音声などでの対応といったことが考えられます。

Generative AIは、プロのクリエーターでなくても、その指向がある人のクリエーティブ市場への参入を容易にします。これは働き方改革にもつながりますが、そのような人に対して著作権などの問題が起こらないようにツールやサービスを提供することが考えられます。また、NFTビジネスのように、そのような人の著作物、アートの販売を行う場やその支援までできれば、事業機会が拡大すると考えられます。非開発系プログラマーの支援も同様に行うことが考えられます。

なお、インタビューによれば、クリエーターは画像生成AIなどを活用しても、アイデア出しや自身のアイデアの壁打ち的に利用するとの発言もあり、クリエーター自身の知的財産権などの意識がしっかりしていれば、その範囲での支援を行うことは十分可能と考えられます。

③製造業、設計関連でのビジネス

Gartnerは、Generative AIの開発・導入・利用が有望な業界として、医薬品設計、材料化学、チップ設計、シンセティック（合成）データ、部品を挙げています[1]。同様にCB Insightsは、Generative AIの有望分野として、建物の設計、製造＆製品の設計、インフラの設計、材料探索、自動運転車用の合成データ、調達の6分野を挙げています[2]。GartnerとCB Insightsの予測はかなり類似しており、有望な分野といえるでしょう。

[1] https://www.gartner.co.jp/ja/articles/beyond-chatgpt-the-future-of-generative-ai-for-enterprises
[2] https://www.nikkei.com/article/DGXZQOUC05DRU0V00C23A4000000/ （https://www.cbinsights.com/research/generative-ai-industrials/）

例えば設計では、複数の候補を短時間で、しかも顧客の要望と環境適合性などの条件、コストなどを踏まえて検討して提案します。材料関連でも用途に合わせた材料の提示のみでなく、調達先、コストなども検討した提案が可能です。今後はシミュレーションやメタバース、デジタルツイン技術などを組み合わせ、顧客の仮想体験やリアルとバーチャルの融合を図ることが一層進むと考えられます。

ただし、これらの分野でのGenerative AIビジネスは、特定分野でのデータ蓄積やシミュレーション、実用化などで実績を有する企業が多く、個々の分野での専門性、対象企業との関係性を有することが必要と考えられます。現状では、国内企業向けでも、海外企業が事業を行っている場合が多く、日本企業の積極的な事業展開が望まれるところです。

④Generative AIのセキュリティーや研究開発に関するビジネス

Generative AIの社内業務での利用は今後急速に拡大するとみられます。その際、機密情報の管理、サイバーセキュリティーへの対応は非常に重要で、その技術対応に関する事業は間違いなく拡大するとみられます。実際、日本でもスタートアップ企業が対話型のChatGPTのセキュリティー関連の技術開発、事業化を進める動きが見られます。

Generative AIの基盤モデルをベースとしたアプリ開発は、事業として難しい面もありますが、周辺にビジネス機会があると言えるでしょう。

Generative AIの研究開発は、基礎研究から基盤モデル構築、その応用など幅広く進められると考えられます。欧州で厳しい規制はかかっても、研究開発自体は進める方向です。研究開発は通常企業内の活動ですが、国家プロジェクトも含めた研究開発の一部外注や委託なども増えると考

えられ、スタートアップ企業も含めてその市場に注目すべきと考えられます。例えば、Generative AIの利用はエネルギー使用が多いと考えられるため、省エネ型や環境適合型のデバイス開発、システム構築が考えられます。

⑤ロボット、メタバースとの融合技術に関するビジネス

Generative AIはロボット技術などと融合することで用途拡大が期待できる一方、ロボットなどの技術は一般的にGenerative AI技術ほど急速に進展していません。そのため、Generative AIとロボットを融合させるビジネス、またロボットの技術開発にGenerative AIを活用するビジネスは有望と考えられます。実際、ChatGPTをロボット制御に活用する研究成果は発表されており、コード生成、ロボットの行動生成にGenerative AIを活用する方向は期待できます。

Generative AIとメタバースの融合も有望と考えられます。AIによるイメージ生成とメタバースによる3次元空間との融合といった話が出ており、Generative AIを活用したアバターの利用も考えられます。市場的に大きいと思われるのはゲーム関連で、Generative AIを活用したゲームプレーにおける没入感の向上、ゲーム開発の自動化、新たなコンテンツの生成などが考えられます。

⑥発展途上国を含む高齢者、障害者向け、教育、ヘルスケアのビジネス

ビル・ゲイツ氏は、Generative AIを含むAIの有望分野として、業務の生産性向上以外に、貧しい国を含むグローバルヘルスや教育を挙げています。医療・ヘルスケアでは、創薬支援、画像診断などで従来型AIも活用されていますが、Generative AIにより患者、一般生活者に対して、対象者に応じた相談、情報提供などを行うことが可能になります。遠隔

医療と組み合わせることで、国境を越えた支援の実現も可能になると思われます。

　高齢者の支援では、介護人材の不足や重労働の状況があり、介護ロボットやコミュニケーションロボットの利用が既に行われていますが、Generative AIは、より個人の状況に合わせた支援を可能にすると考えられます。また、健康な高齢者の労働参加を支援することにも利用できると考えられます。

　教育分野は、特に海外でビジネスベースでのGenerative AI活用が既に行われています。日本でも、教育、学習支援はオンライン化、アプリ化が進んでいますが、Generative AIの活用により、学習者に合わせた教材の提示、テスト、結果のフィードバックなど、パーソナル対応が可能になります。若年層向けだけでなく、従業員の社内教育、中年層のリスキリング、高齢者を含む生涯教育の実現にも貢献できると考えられます。

　ただしこれらの分野は対人性が重要であり、また法規制も全般に厳しく、経済的にも独立した事業を行いにくい部分もあり、特に途上国などを対象にした場合は行政支援が必要になると考えられます。

(2) 変化するホワイトカラーの仕事

　第4章では、マクロ的な分析の論文やリポートなどを基に、Generative AIがホワイトカラーを含む就業者にどのような影響があるかを示しました。その分析を踏まえ、ここでは少し未来の状況について筆者の私見を示します。

Generative AIによる生産性向上は、所得の増加や就業時間の減少という プラスインパクトにつながり、労働のあり方を考える契機になります。 生産性向上により得られた時間は、就業時間内では新規事業の検討や実 施、非就業時間の増加は週休3日制やよりフレキシブルな就業形態やレ ジャー時間の増加などへの移行をしやすくすると考えられます。ホワイ トカラーはオンライン利用での在宅勤務の比率も高く、その相乗効果で この流れを加速する可能性があります。

　多くの職種、業務はGenerative AIが人間に代替するのでなく、人間と Generative AIが協調、相互補完することで、生産性向上、より高度な業 務処理を行うことが可能になります。Generative AIは定型業務のみでな く、非定型業務の一部も代替しますが、あくまで人間が意思決定の主体 であり、Generative AIをいかに使っていくかが求められます。

　ただし、Generative AIが人間に代わる業務もあり、どの部分で人間が Generative AIに対して優位かという検討も必要です。この面で人間に強 みがあるのは、対面でのコミュニケーション、経験も含む具体的な表現、 感情や感性が関与する部分と考えられます。これらを生かせる業務や、 同一の業務でもこれらを生かした対応が重要と考えられます。

　Generative AIが現状で強みがあるのは、大規模言語モデルによる膨大 な網羅的知識、一般的で客観的な回答などですが、今後は画像、動画、 音声などの生成も含めてクリエーティブな領域での能力も高まると考え られます。ただ一方で、過去のトレンドではない見通しや直近の動向を 反映した判断は過去データに基づくGenerative AIには得意でない領域と 考えられ、人間が強みを発揮できる領域と考えられます。

また、Generative AIの技術ほどにはロボット技術は急速に進展しにくく、実際の移動や手の操作などを含む作業、また人間に直接接触するような作業は、当面人間に優位性があると考えられます。このような作業は、ホワイトカラーよりはブルーカラー的な業務と考えられますが、ホワイトカラーであっても現場作業や人間と直接心身で触れ合うような仕事や能力の活用は、一つの仕事の方向性と見ることもできます。

　Generative AIとほかの技術の融合、その活用はロボット技術に限りません。今後特に重要なのはメタバース技術、デジタルツイン技術と考えられます。メタバース技術は、オンライン技術、アバターなどと組み合わせて、在宅の高齢者や女性、五官に障害のある方などの労働参加を可能にすると考えられます。また、デジタルツイン技術は、リアルとバーチャルを組み合わせることで、建築や都市の設計などへの活用が期待されますが、Generative AIと組み合わせることで、複数案の評価、より多くの対象でのインダストリアルデザインなどに広く活用されると考えられます。

　Generative AIは就業者の雇用、個別の労働のあり方のみでなく、企業の組織の役割や体制変化に大きく影響することが考えられます。顧客や市場と直接つながるフロントエンド、物やサービスを作るバックエンドの機能は、人間が関与することが必要な半面、その間をつなぐミドルレンジ機能はかなりの程度Generative AIを含むAIに代替すると考えられます。ミドルレンジ機能は一般的には、間接部門、事務部門が担う場合が多く、その部分のスリム化が進み、特に事務的管理職の業務やスキルは大きく変化し、職務転換が必要になる場合が多くなると思われます。

　フロントエンドの機能でも、顧客とのやりとりやパーソナルマーケティ

ング、市場分析にGenerative AIが利用できますが、真の意味での顧客コミュニケーションを行ったり、市場の急激な変化に迅速に対応したりすることは、Generative AIはまだ得意でなく、人間の役割が大きいと考えられます。

　バックエンドでも、Generative AIでプログラムコード生成や画像生成が可能になり、プログラマー、設計といった業務は変化すると考えられます。そのため、バックエンドでも顧客接点を拡大し、顧客ニーズを的確に判断、フィードバックし対応していくような組織や就業者のスキル向上が求められます。長期的には、製造の場面もロボット技術やメタバース技術の活用も含めて在宅勤務が可能になるなど、一種のホワイトカラー化が進むことも考えられます。

(3) ホワイトカラーの職種別の変化と考えられる対応

　社内事務職から独立した専門家まで、代表的な職種を取り上げて、今後の組織や人材に何が求められるかを考察します。

①法務関係者、法律家

　パナソニック コネクトの事例で触れていたように、社内法務部門では契約書のリーガルチェック、法律違反となるリスクのチェック、下請けなどに対する法的対応が必要で、そこでChatGPTなどの対話型AI、またGenerative AIの活用可能性は非常に高いといえます。ただし、最終的には、専門部署、専門家による判断が必要です。

　弁護士のような専門家の業務においても、簡単な法律相談にGenerative AIを利用することが考えられます。このような利用は一見す

ると専門家と競合するように思われますが、法規制対応、正確性、最新動向のチェック、国による相違、解釈の問題などになると専門家による判断は必要です。

「弁護士ドットコム」では、AIが回答する法律相談サービスを提供しつつ、顧客に対して対話型AIを活用した新たなサービス提供も検討しているとされます。Generative AIの活用は顧客を拡大し、新たな仕事も増やす可能性が高いと考えられます。逆にGenerative AIを活用できない弁護士や弁護士事務所は、じり貧になる可能性があるとも言えるでしょう。

②経理担当者、公認会計士

経理担当者は典型的な事務職ホワイトカラーであり、Generative AIの導入によるインパクトは極めて大きいと考えられます。パナソニック コネクトの事例では、社内の中でもChatGPTの導入・利用に熱心な部門であるとされています。経理業務のどの部分をAIが担い、どの部分を人間が担うかを判断し、AIが適切な部分はAIに任せていくことが今後一般的になると考えられます。また経理業務はどの企業でも共通性が高いため、Generative AIを利用した経理処理のモデルができれば、社外向けのサービスやツールを提供する事業につながる可能性もあるかもしれません。

なお、公認会計士・監査法人に対してAIの導入が与える影響について、Generative AIに絞っていませんが、以下のようなリポートが提示されています。これらのリポートでは、AIの代替が難しい業務として、経営層やクライアントのコミュニケーション、また不正の発見などが示されています。こういった能力が、会計士の業務において、今後一層重要になると考えられます。

- 「AI等のテクノロジーの進化が公認会計士業務に及ぼす影響」(理化学研究所、https://jicpa.or.jp/specialized_field/0-0-0-2-20220126.pdf)
- 「監査の変革-どのようにAIが会計監査を変えるのか-」(PwC、https://www.pwc.com/jp/ja/knowledge/thoughtleadership/audit-change2021.html)

③金融、ファイナンス、保険関係者

　三菱UFJ、三井住友、みずほといった大手銀行は、ChatGPTなどの対話型AIを導入し、社内の稟議書や社内からの照会対応、社内規則の調査など、社内・行内業務の生産性向上を図ることが示されています。既に取引先情報の収集、融資可能性の検討などに既存AIも利用されていますが、Generative AIは顧客対応などにも利用されていく可能性が高いと考えられます。

　そうなった場合、金融・ファイナンス関係者には、顧客に対する投資助言、ポートフォリオ最適化、リスク管理、顧客向けに新しいサービス提案などが求められますが、これらの業務においてもGenerative AIをうまく活用していくことが必要になるでしょう。保険においても、リスク評価、顧客別のカスタマイズされたマーケティングや価格設定、請求処理、不正検出などでGenerative AIが導入され、保険外交員のみならず雇用や働き方に大きく影響することが考えられます。

　一方で、金融、ファイナンス、保険では個人情報保護、機密保持が極めて重要であり、この点でGenerative AI利用に関わるリスク管理を行うことは必須です。

④コンサルタント

　コンサルタントはクライアントから依頼を受けて成立する職種であり、Generative AIが有するアドバイス、資料作成、組織内議論の論点明確化と要約、外部環境の分析、判断や意思決定の支援などの機能は、コンサルタントと競合するとも言えます。

　一方で、Generative AIを活用したコンサルティング業務という事業機会の拡大も考えられます。一例としてPwCは、Generative AIを活用した事業化支援、Generative AIの社内導入支援、Generative AIに関するリスク支援を実施しています。Generative AI関連での企業参入にはアルゴリズム開発、独自データ活用、インターフェース強化、といった視点が必要であり、コンサルタントが活躍できる余地は広いと考えられます。また、法規制や倫理面への対応、グローバルな視点での検討においても、コンサルタントの役割は大きいと想定されます。

　いずれにしても、コンサルタントは自身でGenerative AIを活用するとともに、クライアントがGenerative AIを導入、活用、管理していくことを支援するスキルが求められることになると考えられます。

⑤プログラマー

　プログラミングの知識がなくてもソフトを開発できる「ローコード・ノーコード」が進展するため、Generative AIはプログラマーに大きな影響を与えます。生産性という点からは大きな向上が期待できる一方で、専門知識のない一般の人が参入し従事できる可能性が高まるためです。

　企業的視点では、デジタル化を進める中でプログラマーを含むIT技術者は全般に不足しており、「ローコード・ノーコード」の動きはプラスで

あるといえます。生産性向上によるコスト削減、ソフトやアプリの内製化、IT以外の部門でのプログラミングなどのメリットが考えられます。一方で、現場レベルでのシステムの乱立、品質の不均一などの問題も指摘されています。

　プログラマーの視点では、Generative AIを活用して就業時間を短縮したり、スキルを生かして兼業や副業といった形も含めて業務を行ったりする働き方への転換が考えられます。単純にプログラミングというスキルに依存せず、顧客とのコミュニケーションによる課題発見力、論理的思考を生かした問題解決力が必要になると考えられます。

⑥デザイナー、設計担当者
　製品設計、建築設計、さらに衣服デザインやインダストリアルデザインにおいて、海外を中心にGenerative AIの導入・利用が進んでいます。その特徴は対話型AIのみでなく、画像生成AIの利用も進んでいることで、多数の設計・デザイン案を短時間に低コストで提案するといったことにあります。また、製品であれば利用する素材、建築物やインフラ施設では立地や環境などの条件を入れることで、コストや環境適合性などの検討も進めることができます。今後メタバースやデジタルツインの技術が進展することで、より具体的なシミュレーションや顧客体験が可能になり、一層の普及が考えられます。

　ただし、Generative AIは過去のデータに基づいてデザイン・設計を行うため、将来性を含めた検討や、人間の五感全体に訴えるデザイン・設計は当面十分にはできない可能性があり、その部分をデザイナー、設計者が担うことが求められます。とはいえ、デザイナー、設計担当者も、対象、条件、顧客特性などを踏まえつつGenerative AIを活用していくス

キルは必要になるでしょう。

(4) 今後必要とされるスキル

　Generative AIが伸長する時代において、多様な職種で人間に求められる能力・スキルについて以下に示します。

①Generative AIなどの新技術を理解して活用する能力
　対話型AIに代表されるGenerative AIは、それを開発する能力は難しいとはいえ、一般的には使いやすい技術といえます。ただし、使いこなすにはそれなりのノウハウやスキルが必要といえます。人間と競合するよりも協調して、使いこなすことが求められます。

②対人能力、コミュニケーション能力
　人間とGenerative AIが連携し協調する方向性はあっても、Generative AIが対人関係において人間と同等レベルになるのは難しいと考えられ、人間には対人能力、コミュニケーション能力が求められます。ただし、顧客の中にはGenerative AIとの関係の方が楽と感じる人もいて、一定程度Generative AIに代替される可能性があります。

③欲しい物が何かを描ける能力、課題発見能力
　欲しい物、知りたいことがあり、それを言語などで表現し描ける能力が求められます。今までの多くのホワイトカラーは与えられたことに答えることが求められました。しかし、答えを出すだけなら人間よりGenerative AIの方が的確で、指示待ち状態は終わりを迎えると考えられます。与えられた課題を解決するのみでなく、課題を発見する能力も求められるでしょう。

④何が正しく、何が正しくないかを判断し評価する能力

　Generative AIは、ある事象が事実かどうかといったことを判断し評価する能力を有しますが、一方で事実に基づかない嘘の回答をしたり、回答ができなかったりする場合もあります。そのため、参考意見やアドバイスを求めることは重要ですが、最終的な判断や評価、意思決定は人間が行うことが求められます。

⑤経験を語り活用する能力

　Generative AIは、多くのデータ、知識情報からコメントや回答を出してきますが、それは多数で確率的、無名性の情報が中心になると思われます。しかし、コンサルティングなどにおいては、個々の経験に基づく事実や判断が求められたり、それを的確に表現することが求められたりする場合があります。

⑥ニッチな領域での専門性

　現段階では、ニッチな領域、専門的な領域での対応は、情報量や特定の専門分野における用語の理解といった点から、Generative AIには難しい面があると考えられます。今後専門特化型のGenerative AIが開発されれば、その状況が変わる可能性はありますが、「専門オタク」的な人材は有用性があれば、求められていくでしょう。

⑦倫理面、規制面などを考慮して利用する能力

　Generative AIの活用範囲は非常に広い一方で、悪意のある使い方、個人情報保護、データ利用、著作権保護、教育への利用などにおいて課題があることは事実です。そのため法規制などに対応するだけでなく、企業においては自主的なガイドラインや技術での対応、個人においては高い倫理観を持った利用が求められます。

(5) 創出される雇用機会

　上記のような視点も踏まえ、今後Generative AIが進展しても減少しない、さらに増加すると考えられる仕事はどのようなものでしょうか。以下に一例を示します。

①AIプロンプター、プロンプトエンジニア

　顧客を含むステークホルダーなどの特定のニーズに合わせた最良の結果を生成するために、効果的なAIプロンプトを書く職業です。Generative AIは、どういう質問、コマンドを出すかで得られる回答は大きく変わり、米国などでは数千万円の年収が得られる職業になっています。能力としては大規模言語モデル、自然言語処理などに関する知識や経験が求められますが、短期的にニーズが大きい業務、職業と考えられます。Generative AIを活用しているパナソニック コネクトでも、プロンプトエンジニアが重要であることが指摘されています。

②非開発系クリエーター、AI利用クリエーター

　これまではAIのユーザーにおいてもプログラムコードの生成など、一定程度の専門能力が求められました。しかし今後はそうした専門能力なくても、ChatGPTやMidjourneyを活用することで、文章や画像作成が可能になり、非開発系クリエーターが増加すると考えられます。独立開業以外に、兼業や副業の形でも非開発系クリエーターの活躍余地は広がるでしょう。アーティストに近い領域でも、例えば画像生成やテキスト生成を使うことで、画家や漫画家、小説家などになることも可能です。既にGenerative AIを使うことで、このような人材は生まれています。プロのクリエーターでも、編集、加工、自身の作品の評価などでGenerative AIを使うことは一般化すると考えられます。

③障害者、高齢者などの労働参加

　Generative AIが生み出す職種ではありませんが、Generative AIにより労働参加が可能になる層があります。具体的には障害者や高齢者です。対話型AI、さらに音声認識技術を生かすことで、障害者や高齢者が在宅で労働参加することがしやすくなると考えられます。デンマークの新興企業であるBe My Eyesは、2億5,000万人を超える目に障害のある人々向け技術を開発し、GPT-4の新機能で冷蔵庫の中身などの視覚情報を認識して分析レシピや提案をユーザーに提供しています。この機能自体もボランティアの役割を果たしますが、こういった技術とロボット、メタバースなどを組み合わせ、障害者のQOL向上に加え、労働参加機会が拡大することが考えられます。

インタビュー：**金出 武雄 氏**

カーネギーメロン大学ワイタカー記念全学教授／京都大学
高等研究院 招聘特別教授／産業技術総合研究所 名誉フェ
ロー（以下、敬称略）

Generative AIの持つ言語能力

―― GPT-3からGPT-4になってGenerative AIの性能が一気に上がり、既
にAIを使っていろいろなプログラムがスクリプト言語で書けるだけでな
く、絵やイラストも作れ、文章の要約もしてくれます。会社の中のシー
ンで言えば「これをまとめておいてください」とか、「これちょっとこうい
う感じで資料を作っといて」みたいなことは、ほぼAIがやってくれるとこ
ろまで一気に性能がexponential（指数関数的）に上がってきました。この
ようなテクノロジーと人間はどうやって付き合ったらいいのでしょうか。
金出先生のご意見を頂ければと考えています。

金出：Generative AIという分野は急にすごくなってきた感じで、正直に
言うと、僕らみたいに古くからAIに携わってきた人間にはある意味驚き
で、カーツワイル※が言うように、こういう分野も指数関数的になってい
るのかもしれないです。
※ レイ・カーツワイル（Ray Kurzweil）は、人工知能（AI）研究の世界的権威。特に技術的特異点
　（technological singularity、シンギュラリティ）に関する著述で知られる

　GPTは言語モデルと呼ばれます。伝統的な言語モデルでは、文法を含
む単語のn組の出現頻度・確率といったもので表現方法が数学的に限ら
れたものでした。ところがGPTは、もっともっと長く重層的な文脈にお
いて言葉の出現予測モデルを作り上げています。インターネットのサイ

トや出版された本にある文章の全部かほとんど全部を使って、ディープラーニングによる何千億単位の数のパラメーターによって表現したものです。

　一方の人間は、ほとんどの事実や知識を本当も嘘も入れて言語で表現しますので、その言語モデルは、結果として言語で表現された膨大な知識モデルとも言えるわけです。

　ですから、GPTのような驚異的な物知りに質問・要求すれば、そのカバーしている範囲で人間が勝てるわけがありません。ただ、あくまで言語としての妥当性を見ているわけなので、悪く言う人は嘘も平気でつくと言います。

　でも、人間だって嘘をつきます。しかも意図的に。僕はよく言うのですが、戦時中の大本営発表というのは国家によるフェイクニュースでした。実際の戦場で何が起こっているかを知る方法はなかったから、発表を聞いている側は判断のしようがありません。同じようなことは現在のメディア報道に言えると思います。国益を損ねるようなフェイクニュースもありましたし、報道者の立場の違いで同じ出来事なのに部分的に取捨選択され、全く違うニュアンスで伝えられていることもあります。

　現在のAIは、チェックする能力も長けています。誰かが何かを言ったら、あるいはChatGPTが何かを言ったら、その元データが存在するか、どのくらいサポートされているかは検索エンジンにかければ分かります。もちろん、それらの真偽自体は複層的だけど。いずれにしても、非常に冷めた言い方をすれば、嘘をつく能力もそれをチェックする能力も格段に上がったということです。

画像ならできると思っていましたが、それを言語でも可能にしたのはすごいです。僕は、言語は特別なものだと思っています。僕は人間の思考とか発見、発明、感情というのは、言語なしではできないと考える派です。つまり言語は、それを用いて思考しているすごい道具だと思うんです。

　感情は違うという人は多いけれど、少なくともそれを遠くに伝え、残していくには言語が必要です。僕の表情を見て何か喜んでいる（らしい）ことは目の前にいる馬渕さん（筆者）には言語なしで伝わると思いますが、馬渕さんがそれを次の人、さらに時間的に遠くへ伝え、他の言語で表現された知識と組み合わせるには、「金出は喜んでいる。あるいは喜んでいるように見える」という言語を通します。

　ことほどさように、人は感情まで含め、頭の中で考えていることを最終的に自然言語でコミュニケーションし、インタラクションし、マニピュレーションし、それを通じて初めていろんな進歩が起こるわけです。ところが人の思考は微妙でこれを完全に正確に、論理的にマニピュレーションできる言語で表現することは難しい。

　数学は正確に表現し、Statementの真偽をFormalに計算できる言語ですが、それはある公理体系の中だけの話です。そもそも、人の思考はそんなものではないかもしれない。だから中途半端な言葉でいっぱい言うわけです。そんな自然言語の扱いをAIがかなりか相当にできるようになったということは、すごいことだと思います。

　言語はものすごい道具なので、初期のAIの時代は、知識を記述的（descriptive）にシンボルですべてを表現しようとしましたが、それは必

ずしも成功しませんでした。言語はシンボル・単語の並びという非常に明示的（explicit）かつ局所的な（集中凝縮された）表現です。それに対して、ディープラーニングは、それと対照的に学んだ知識をディープニューラルネット※の中にある極めて多数の重みの全体の分布という、非明示的（implicit）で分散的（distributive）な形で表現しています。

※ ニューラルネットワークをディープラーニングに対応させて4層以上に層を深くしたもの

　我々人間は「これは猫だ」ということを、恐らく2つの方法で上手にやっています。一つは、猫は4足で、ひげがあって、目がだいたいこんな色などと記述的表現をします。もう一つは、ディープニューラルネットと同じ仕組みかどうかは別として、脳の神経網のある部分の発火という形で認識していく仕組み（表現）も使っていると思われます。人はその両方を使って行ったり来たりできるから、明らかに柔軟なんですね。

　例えば専門家にあることについて質問すると「それはね」とか言って理屈（記述的表現）を教えてくれるでしょう。でも、その理屈の通りにやってもうまくいかなくて、専門家にもう一度尋ねると「それは違う、もうちょっとこの感じなんだけと、分からないのか」なんて、言葉で表せないものがもう一つあるんだという言い方をすると思います。人間は、それら2つを使って上手にやっています。

　AIの歴史を考えると面白くて、最初記述的な方法をずいぶん追求したがなかなかうまくいかなかったので、次に、認識問題をニューラルネット、特にディープニューラルネットによって何か模糊とした分散的表現方法を作ったらうまくいったんです。そのニューラルネットで言語モデルを作ると、面白いことに言語で会話という最も記述的な分野で人との通信が一応成立しているようになったわけです。

僕は試しに、英語のChatGPTに「Takeo Kanadeを知っているか」と入れたら、いろいろ出てきました。だいたいは、Wikipediaからの情報でしたが、それだけでなくほかの情報も混ぜているようでした。次に、「〇〇（僕の妻の名前）を知っているか」と入れたら、「そんな人は知りません」と出てきました。そこで冗談で「馬鹿もの、こんな有名な人のことを知らないのか。一体どこをどう見ているんだ」と入れたら、「いや、私は言語モデルなので、書かれていないものについては残念ながら知りません」などと答え、少なくとも挑発に乗って怒るようなことはしませんでした。

　このやりとりを、相手は前後関係を「分かって」答えていると感じるか、「挑発に乗らない」などと人間的な表現でその行動を表現するかは、こちらの思考なのですが、そう感じさせるところまで来たということでしょうか。

Generative AIのホワイトカラーへの影響と「経験」の重要性

―― 今、東大の松尾先生と一緒にAI経営講座というのを社会人向けにやっています。生徒は500人ぐらいで、官僚の方も大勢います。既にChatGPTを使っている皆さんに「仕事の中で、ChatGPTは一番何に役に立ったかを教えてください」と聞いたんです。ある官僚の人は「国会答弁です。これまで徹夜して作っていましたが、もう徹夜しなくてもよくなります」ということでした。

　下手な人間が作るより完璧に作れますね。質問に対して、ある意味十分以上に答えて、質問者を圧倒する答えを出すことができます。質問者が人間だとすると、知識の量が違うので勝負になりません。

――資料作成や情報収集の仕事は、Generative AIにはかなわない。ホワイトカラーの仕事も大きく変わる気がします。

　単に知識量に対抗するような、対抗しなければならないような仕事は、これから難しい、変わるというのは事実のようです。その点で一つ慰めを言うならば、非常に哲学的になってきますが、「実経験」がどういう役をするのかは面白い観点ですね。

　ChatGPTはその「知識」を人間的な意味での「経験」という意味において、何一つ経験していません。何一つ見ていないし、何一つ自分で実行したこともなく、みんなどこかに書いてあることの耳学問です。しかし、それなりのことを言う（ようにみえる）。

　一方、我々個々の人間が持っている知識は、AIに比べると少ないが、その一部は生身の人間として本当に経験した知識です。僕が書いた本の書評にもあったのですが、生の経験から出てきた文章が、なぜか知らないけど「良い・説得力がある」と言う人がいます。

　ただ、それは本当に文章自体が違うのか、僕を個人的に知っていて僕の経験を知っているからそう思う、さらには、実は僕の経歴を知って経験したはずと思うからそう思う可能性もあるものの、実際に経験したものからの言説が直接・間接に力を持つなら安心です。それが本当なら心配しなくても、我々は個々の経験をして、その一部は他の人は良くも悪くも経験していないので、こういう経験の差が明らかに我々の個性を作り、その個性がにじみ出た答えになっているはずだからです。

　もちろん、ChatGPTでも個性を持たせることはできるはずです。知識

を制限して使う部分をサブセットにしてあれば、違うキャラクターを持ったGPTが出てくるのは明らかです。

　実は、この体を使った実経験の重要性については、AI研究の歴史、特に記号（言語）による記述的アプローチにおいて、「シンボルの接地問題」として一種の哲学的ともいえる論争があります。ちょうど、建物の電気回路がどこかで地面に接地（アース）されていなければならないことのアナロジーとして、知識を表す記号の一部が実経験によって実際の物・出来事と対応させられていないと、一見自明に思える推論や問題解決が不可能ではないかという問題です。今のロボットの身体があることでこれを乗り越えられるという主張（身体性と言います）が多いですが、あらゆるものの関係、あらゆる出来事のルール・暗黙の了解をどこかに書かれていて、それらをGPTが学習すれば同じことが起きるとすれば、思わぬ形でAIの哲学的論争に終止符を打つのかもしれません。

――我々みたいなコンサルタントとか会計監査人とか、そういう目論見書みたいなものを書くのは本当にいらない、全部AIでいいんじゃないか感じます。

　Generative AIのポジティブな使い方としては、ChatGPTで計画を立てると、それなりの計画が出てくるわけですが、それを人間が見て「もっとこういう計画の方がいい」と意見を言う。その意見はその人の経験を基にした、ある意味で非常にバイアスのある意見ですが、そうすることで、ChatGPTが作った計画をさらに良くすることができます。非常に賢い話し相手、英語で言うとサウンディングボードとして使うのは、現状において最も有効な使い方じゃないかと思います。

アート、設計、会議などでGenerative AIと人間の連携が有効

　プレゼン資料の中でいろんな画像を使いますが、ネット上にある画像を勝手に使うとコピーライトが問題になる。そこでStable Diffusionというプログラムに頼んだら、それなりの画像がどんどん出て便利という話になりました。もし、皆が納得するコピーライトの扱いができるのであれば、そういうのも一つの使い方ですね。

　この間何かを読んでいたら、有名な芸術家もそんなことをして新しい作品作っている人がいると書いてあって、日本にも漫画家でそうした使い方をしている人がいるんですね。

――ChatGPTだけで小説を書くとか、漫画を作る人が出てきましたよね。

　僕は昔から「Nプラス1」をずっと言ってきました。Nプラス1というのは、N人で会議をやる時に、あと1人AIの参加者を入れることです。誰かが何かを言ったら「どこどこの誰がやっています」とか、「それに関係する事実はこれで、あなたの発言は仮定が間違っています」とか言ってくれるAIです。

　このAIは、低いレベルでは昔からありました。「誰と誰だと世代はどっちが前だったかな」といったことはインターネットで検索すれば分かります。その次のレベルは、「これはこういうふうに主張したらいい」と誰かが言ったら、「そのステートメントはこう変えなければ駄目です」という、もう少し内容に立ち入ることですが、これはChatGPTならできるでしょうね。

昔DARPA※のミーティングに出たら、賢いやつが来ていて感心したことがありました。「こんなロボットを作れるか」の議論の中で、「この新しい羽根でマイクロロボットを空気中500mぐらい飛ばすとすると、いったいどのぐらいの電力がいるか」という話になりました。そういうブレーンストーミングをすると、普通のミーティングでは「まあ何とかできるんじゃないか」となって次に進むことが多いのですが、そのDARPAのミーティングには賢いやつがいて「俺が計算してくる」と言って、翌日の朝に計算してきました。「何グラムを飛ばすには何ワットはいるから、全部で電池の容量がこれだけいるが、それは現在の電池技術では何グラムの重さで、もともとのロボットにそれを乗せたら飛ばず、だから今は無理。実現するには電池容量が今の何倍必要で、その時このアイデアが有効になる」というようなことを言うのです。

※ Defense Advanced Research Projects Agency：米国の国防高等研究計画局

　それを聞いた時、「やっぱりディスカッションは、こうでなきゃいかん」と思いました。つまり、アイデアを言ったときに、そのアイデアの信憑性とか実現性を、科学的、エンジニアリング的にすぐに検証していくということです。この程度の一種形式化の進んだ知能的問題は、ChatGPT的なものが使えますね。

　今のAIに聞いたらそんな問題解決くらいはいずれできるはずです。僕が言うNプラス1で会議したら、会議はすごい勢いで良い方向に進展すると思うんです。ただ、音声、チャート、ビデオなどいろいろなモードで会話できないと、いちいち「これはどうか？」とタイプしていたのでは時間がかかってしょうがない。今は音声認識も良くなってきたし、手書きのチャートやビデオ認識も進んできたから、それを組み合わせると、僕が言うNプラス1もまんざら嘘ではない気がしてきました。

設計とかデザイン的なものにも使えます。例えば、これくらいの広さで、東側から太陽光がこれだけ入ってきて、西日はどれだけブロックする、そういう部屋を作ったらどうか、というくらいであれば、Generative AIでできます。そういうフロアデザインを作ることをやっている会社もあるらしいです。

——アイデアと葛藤を広げていく部分と、検証していくところは生産性が上がり、新しいものを生み出していくところに関しては、人間とAIが共生していくというのはそういうコンビネーションなんですかね。人間が未来をつくっていく活動と、確からしさを過去データから補完していくところは結構マッチングがいいし、これからホワイトカラーの人たちはそういうことを想定して、自分のスキルみたいなものを積み上げていかないといけないのでしょうか。

Generative AIで雇用は減らないが、職業の要求水準は向上

　職業がどうなるとかいう問題はありますが、これまで新しいテクノロジーが生まれて「こういう人間はいらなくなる」というのは、あまり当たっていません。なぜかというと、それによって職業に要求される基準が上がるからです。

　例えば、恐らく昔は計算ができ、プラスちょっとだけ何かを知っていたら○○士ができたかもしれません。今は計算なんて計算機の方が速いから、計算ができるのはもう能力のうちに入らないわけです。

　そのプラスちょっとがAIでできると○○士は不要になるかと言うと、

そうとは限らないです。要求される能力が上がってくるわけで、今度は、人はさらなるプラスを求める。そりゃ当然でしょう。みんなができるんだったら、その上に初めて価値を見る、そして新しい職業が生まれるわけです。

　その点では、国会の委員会あたりが一番そうなってほしいですね。ChatGPTで答弁ができるのなら、国会で暇をかけていちいち何々君とか言って、質問と答弁をほとんど行ったり来たりの無駄遣いをやめて、みんなプログラム同士で戦わすのです。その結果について、「私はこうする」「こう案配する」と決めるのを政治家の仕事にした方が賢く生産的かもしれない。

Generative AIを利用した探査、発見、発明の可能性

　画像Generative AIを例え話的に言えば、画像を超多次元空間中の点と考える。この空間は3次元空間でなく、ものすごい多次元空間で、この空間の距離は、我々の持っている距離の概念とは違うものです。この空間中のほとんどの点は人には意味がない画像ですが、画像として意味のある点もかなりある。その点をサンプル画像として指定する。ただ、サンプルとして学習できた画像はその中のほんの一部にすぎない。その状況で、画像Generative AIは画像として意味を持っていそうかの点をexplore（探査）する能力を持っていると考えられるわけです。

　なぜかと言うと、試しにいろいろ作ることができるからです。例えばGAN※でやるならば、試しにいろいろ作る生成ネットワークがあって、これがどうかとか、そんなものは全然画像でないというようなことを識別ネットワークですることによって、その空間中の内挿がどこまでできる

か、外挿というか点から外へ行くとどこまで行ったら画像として意味がなくなるかをexploreして、新しい画像を作り出すわけです。

※ GANは、Generative Adversarial Network（敵対的生成ネットワーク）で、人工知能アルゴリズムの一種。Generator（生成ネットワーク）とDiscriminator（識別ネットワーク）の2つのネットワークから構成され、互いに競い合わせることで、例えば画像生成を目的とするなら、生成側がイメージを出力し、識別側がその正否を判定し、精度を高めていく

言語も同じような意味で、言葉のネットワークがあって、その中を通って行くとどういう通路が文として、内容として意味があるかということをある程度学んでおき、それを要求に従った文として出す能力があれば、出てきたものは人間にとって意味がある言語です。そういう意味においては、まさに可能性をexploreしてくれているわけです。

そうして作られた新しい絵や文を人がいい絵、いい文と言うならば、我々のやり方とは違うかもしれないけれど、ある意味では発見・創造でしょう。それは学習した、つまり人が作ったものを組み合わせているに「すぎない」と言うなら、人もやり方は違うかもしれないけれど、結果として同じくそれにすぎないことになる。

さらに、例えば新しい建物のデザインでは、見た目以上に力学、空調とかがある範囲に入っていなければ、建物として存在できません。それはある意味では言語的exploreです。言語といっても多分自然言語ではないだろうけれど、数学・プログラミング言語で表現された知識空間のexploreする力ができたことになる。今までexploreされていない新しい薬のデザイン、物理法則もそうかもしれません。物理法則は物理の現象を非常に少ない基本、多くの場合は数学という言語表現です。

物をポンと落としたり投げたりしたら、それらの軌道の集合体は重力

とニュートンの法則を表しているはずです。ボールを投げると放物線を描きますが、投げた方向と最初のスピードで、多くの例があってもそれらを表現できる記述式（言語）はF＝ma（運動の力＝質量×加速度）で十分なはずです。

　何度も言いますが言語は人間知能の源泉です。ほかの動物、例えば鳥なども言語を持っていることが分かって来たらしいですが、少なくとも今のところ人だけにできたように見えるのは、多くのデータから、それらを包括的に表す記述的な、多くの場合数学の言語表現を作って、さらにそれを使ってexploreすることで、それができたのは人だけのように見えます。

　僕がよく使う例は、イチロー選手は球場の自分の場所とキャッチャーが彼の眼にどう見えるかだけで、彼の長い訓練によって、筋肉に指令を出して、最小の時間でうまく球がキャッチャーのミットに収まるように球を放出できる。ということは、結果的にニュートンの法則を具現し使っているはずです。しかし、彼は距離をレーザーで測る能力もなければ、多分投げる初速度と方向がどうこうとニュートンの法則は直接使っていないでしょう。

　しかし、彼に月の絵とこの時にはロケットを何時何分にどれだけの推力で打ち上げたら月に届いたというのを何度も何度も見せて、じゃあ今日の月でどうすればいいか設計してくれと言っても多分できないと思います。F＝maというニュートンの法則という運動の言語での表現と、微分学積分学というそれをマニピュレーションする操作手段がなければ、ロケットは飛ばないと僕は思っています。この、物理現象のデータを典型的には数学という言語で、できるだけ包括的かつ限定的に表現し直す

ことが、物理学における発見発明なのでしょう。AIの次のステップはそういうことだと思うと恐ろしいが、こんなことばっかり言っていたら、今日の目的から外れてしまいそうですかね。

——今日の目的そのものなので、全然大丈夫です。

デザインは正しくなくても面白い方が良いこともある

　では続けるとして、今の話はいわばフィジカルコレクトネス一辺倒の問題です。画像の場合、見た目の印象、アトラクティブネスがたぶん重要で、描かれたものがフィジカルに正しいとかはあまり必要ないし、むしろフィジカルに正しくない方が面白い場合も多いのかもしれません。一方、建物のデザイン、これは立つというフィジカルにある法則を満たす必要からルールもあり、また、見た目のアトラクティブネスのほかにもいろいろな感性のアトラクティブネス、さらには便利とかいう半分フィジカル、半分アトラクティブネスなところがあるように思えますね。ごっちゃになったところをどうするか、今のGenerative AIは言語も画像もそういう意味ではまだまだ一様、均一です。ただ、そういう混在したこともやろうしている人もいるようなので、そういう分野にもだんだんと入ってくるかもしれないですね。

　結局、人間とGenerative AIのコラボを使って様々なスペースをexploration（探査）、つまり発明し、技術、データ、イノベーションで、新しいビジネスモデルが作れるかが問われているわけですが、表現形態がある範囲に収まっているものはどんどんと進む、そうでないものは、時間はかかるがいずれゆっくりではあるが進出していくということでしょうか。

最近"Can We Trust AI?※1"という本を書いた米国のAIの教授がいて、彼に「GPTをどう思うか」と聞いたら、ニューヨーク・タイムズの"How Siri, Alexa and Google Assistant Lost the A.I. Race※2"（2023年3月15日）という記事があるから読んでということでした。AppleのSiri、Amazon.comのAlexa、Googleアシスタントが、なぜOpenAIに出し抜かれたかという記事で、面白かったです。

※1 https://www.press.jhu.edu/books/title/12863/can-we-trust-ai、 https://hub.jhu.edu/2023/03/06/artificial-intelligence-rama-chellappa-qa/参照
※2 https://www.nytimes.com/2023/03/15/technology/siri-alexa-google-assistant-artificial-intelligence.html

　あと一つ、創造性、クリエーティブってよく言いますが、「我々にそういうあんたは本当に創造性があるの」とGenerative AIが言うかもしれません。今まで何かと言ったら、「AIには創造性はない」とか偉そうなことを言いましたが、かなり怪しくなってきました。いろんな知識のあんまり先のことは単なる推測で、近くは常識で、めちゃくちゃなことは真実でも暴論で、ありそうではあるが、ちょっと思い付かないあたりがちょうどいいことになります。

　──それは本当にそうですね。ChatGPTに聞いてみると面白いことを言いますし、クリエーティビティは難しいです。どんなクリエーティビティが高い人も最初はやっぱり人のまねです。

　クリエーティビティを発揮する最も近道はまねをすることです。これをいっぺんChatGPTに本当かどうか聞いてみましょう。

　──ありがとうございました。

第 7 章 | まとめ

7-1
各章の要約と今後のポイント

　Generative AIに関しては次々と新しい情報が追加され、日々状況は大きく変わっています。そのため、各章で述べたことを要約しつつ、今後想定される状況について留意すべきポイントを示します。そして最後に、日本の行政施策にも関わるマクロ的検討についての試案を示します。

(1) 第1章　Generative AI概論

　Generative AIは生成AIともいわれ、ChatGPTのようなテキストを生成する対話型AIのほか、画像、動画、音声、プログラムコードなどを生成するAIも含みます。Generative AIと従来型AIはどちらもAIであり、技術や機能に共通性はありますが、大きな相違は従来型AIが入力に対して特定の出力データ、アウトプットを出すのに対し、Generative AIはデータを学習しそのデータを基に新しいデータを生成することです。

　最も注目されているOpenAIは対話型AIのChatGPTやGPT-4などを提供し、Microsoftのクラウドサービスや製品・サービスなどで活用されつつあります。ただ、ほかのビッグテック企業もGenerative AIの開発、参入を進め競争は激化しています。

　Generative AIが大きな進歩を遂げたのは、2010年代のディープラーニング（深層学習）の台頭以降で、特にここ数年のことです。2017年ごろから、Generative AIのコア技術である自然言語処理（NLP）、大規模言語モ

デル、トランスフォーマー（Transformer）の技術開発が進み、それらの成果として2021年に画像生成AI、2022年11月には対話型AIのChatGPT、2023年3月には、OpenAIがGPT-3の500倍以上ともいわれる大規模言語モデルGPT-4をリリースしました。ChatGPTは公開してわずか2カ月で1億人の利用者を突破し、Generative AIが大きな注目を集めるようになりました。一方、Generative AIの急速な普及に対して、その問題点の指摘がなされ、2023年3月以降、AIに関する規制や開発中止の動き、また企業独自の倫理展開に基づく製品・サービス展開が急増しています。

Generative AIでビジネス向けに応用が進んでいるのはテキストベースの対話型AIの利用で、人事、マーケティング、営業、調達、研究開発など、バリューチェーンのあらゆる部分に及んでいます。プログラミングが必要な領域でのコード作成についても、自動車、化学などの大手製造業で導入・利用が進んでいます。画像についても、製造業や建築業での設計、デザイン、プレゼン資料の作成などにも利用され、動画についても3Dモデルの作成や映画の動画作成などに一部利用されつつあります。

Generative AIの企業での利用は、現在のところ対話型AIのChatGPT、そのベースとなる大規模言語モデルのGPT-3、GPT-4を社内応用することが中心です。この部分は企業内の既存の従業員の業務や雇用に大きな影響を与えることからも重要です。

Generative AI技術を生かしてスタートアップを起業したり、事業を拡大したりすることが考えられます。その代表はOpenAIや連携するMicrosoftで、Generative AIのプラットフォームを提供しています。ただし、その下部にはクラウド環境を提供し、さらに演算処理デバイスなど、インフラを提供する企業が存在しています。一方、ChatGPTのよう

なGenerative AIのモデルを生かしてアプリやソフト、サービスを提供する企業があり、スタートアップを中心に参入が拡大しています。

　日本の現状を見た場合、Generative AIの技術開発、利用、事業化のいずれも欧米に後れを取っています。そのため、まずはGenerative AIを社内業務に適用し、自社業務の生産性向上や従業員の業務の再検討を行うことが重要であり、その先進事例としてはインタビューを実施したパナソニック コネクトが挙げられます。Generative AIの技術開発、事業化も重要ですが、国内大手企業の取り組み以外に、日本語ベースの基盤モデルへの国家的取り組み、OpenAIのような海外企業の誘致や拠点形成支援、アプリやソフト、サービスを展開するスタートアップの支援など、行政の支援も検討すべきと考えられます。

(2) 第2章　Generative AI技術とその応用

　Generative AIに関する技術としては、①機械学習、深層学習（ディープラーニング）、②自然言語処理技術（トランスフォーマーを含む）、③大規模言語モデル、④音声生成技術、⑤画像生成技術、⑥動画生成技術、⑦コード生成技術——が重要です。従来のAI技術と共通する基盤技術として、画像認識や画像処理を含むコンピュータービジョン技術、演算処理や画像処理を行うデバイス技術が挙げられます。

　AIが人間の知能を超越し、人間の理解を超えた進化を遂げるとされる概念として「シンギュラリティ（Singularity）」があります。Generative AIがシンギュラリティを実現するかどうか、またその時期はどうかという面では、大規模言語モデルがある規模を超えると急激に能力が高まる「創発」により、言語処理能力においてはシンギュラリティに近付いてい

るか超えている可能性もあります。

　一方で、Generative AIはほかの技術と融合することで、一層の能力向上が期待できますが、ロボット技術などの進展はやや遅れているという状況があります。Generative AIは人間の能力や創造性を拡張することが期待されますが、その点では主体となる人間との協調、ほかの技術との融合が今後一層必要な状況といえます。

　Generative AIの技術が進展することで、データ分析、コンテンツ生成、プログラミング、顧客に対するカスタマイズの実現や顧客体験の向上の機能向上、用途拡大は進んでいます。

　今後は、マルチモーダル化によるテキスト以外の画像や動画、プログラムコードの生成、またロボット技術やメタバースなどの技術との融合による応用の拡大が期待されます。

(3) 第3章　Generative AIのビジネス・投資の現状分析

　Generative AI事業において特徴的で、開発の中心になっているのがモデルレイヤーです。対話型AIであるChatGPTを提供するOpenAIがその代表的企業で、Microsoftとも連携しています。OpenAIは画像生成AIも提供していますが、ほかにも同種の企業は存在します。

　モデルレイヤーの下部には、インフラとしてクラウドプラットフォームを提供するAmazon.com、Microsoft、Googleといった企業が存在します。これらの企業は自社もしくは外部と連携し、Generative AIの技術開発や事業化を手掛け、垂直統合的事業拡大を指向しています。

また、Generative AIには機械学習や画像処理をするICなどのデバイス、ハードウエアが必要で、この分野の代表的企業はNVIDIAです。同社もGenerative AIモデルを提供しており、垂直統合的な事業指向が見られます。現状のGenerative AIで最も収益を上げているのは、インフラ部分のクラウドやデバイスを手掛ける企業とみられています。

　Generative AIのモデル、プラットフォーム上に、アプリやソフト、サービス、ツールを開発・提供する企業には、スタートアップが多数参入しています。これらの企業のうち、2023年第1四半期時点で13社が10億ドル以上の企業価値を有するユニコーン企業ですが、その中では290億ドルの価値を有するOpenAIが断トツです。ほかでは、OpenAIと類似の位置付けのHugging Face、画像生成AIを提供するStability AI、マーケティング向けAIライティングツールを提供するJasperなどがユニコーン企業となっています。

　2022年はGenerative AIを手掛けるスタートアップへの投資が最も多かった年で、調達額は26億ドル以上ですが、アーリーステージにある企業が多い状況です。資金はテキストとビジュアルメディアに8億ドル以上、生成インターフェースに6億ドル弱、音声関連に2億ドル強、コードに1.4億ドル程度流入しています。

　OpenAIとともにGenerative AIを手掛けて注目されるのがMicrosoftです。同社におけるAIへの取り組みは、研究機関であるMicrosoft Researchで過去30年ほど行われていましたが、Generative AIに関する取り組みは2019年7月のOpenAIとの戦略的なパートナーシップの発表以降に本格化、2023年に入って急速にその成果が出ています。多くの製品は、同社のクラウドであるAzureを活用して提供されています。製品

は6領域で展開されていますが、特に注目されるのはビジネスアプリケーションで、ビジネスユーザーに圧倒的に利用されるOfficeでPowerPoint、Word、Excelが入るMicrosoft 365 Copilotがあり、今後のホワイトカラーの働き方にも大きな影響を与えると考えられます。

　Microsoftは業界特化型でのGenerative AIも提供しており、金融業、医療・製薬、製造業、流通/小売業に加え、NPO、サスティナビリティが対象になっています。具体的なユースケースでは、コールセンター関連での顧客からの問い合わせの書き起こしや要約、専門文書の要約、ナレッジマイニングが多いとされています。

　日本でもスタートアップ企業による事業化の動向は見られますが、まずは自社内の業務に活用し、それを外販や受託ビジネスに展開することが考えられます。

（4）第4章　Generative AIが変えるホワイトカラーの仕事

　日本で積極的にGenerative AIを自社業務に活用している企業として、パナソニック コネクトが挙げられます。同社は国内全社員の1万2,500人に2023年2月から展開、3月からはChatGPTも開始しています。

　同社では資料作成の場合、①情報収集、②収集情報の整理、③ドラフト作成、④仕上げる（判断する）——の中で、④は人間が実施しますが、①〜③はAIで対応可能としています。用途はデータ分析、デジタルマーケティング、プログラム開発支援のほか、提案書ドラフトの作成、契約書のチェック、申請書・起案の不備チェック、業務リスクのチェックなど、業務プロセスにも活用されつつあり、法務や経理などの部門で積極的に

利用されていることが特徴です。

　業務の生産性向上とそれに伴う本来業務への集中といった成果が出ており、ほかの日本企業でも参考とすべき先進事例といえます。さらに、パナソニックグループは、国内全社員9万人に対してAIアシスタントサービスを2023年4月から展開しています。

　AIによる雇用への定量的分析は過去にも行われ、雇用が失われる以上の雇用創出が生じるといった結果が得られていました。Generative AIの雇用に与える影響について、2023年3月以降にゴールドマン・サックスやOpenAIがリポートを公表しています。それによると、現在の職種、業務の半分以上が影響を受け、特にホワイトカラーの業務全般が影響を受けるというものでした。ただし、職種が影響を受けることは雇用の喪失を意味するのではなく、当該職種の業務が変化しそれに対応する必要性があるといった結果になっています。

　同じリポートでは、Generative AIは生産性向上や経済成長を高めるという結果も示されています。これらは欧米を対象とした試算ですが、日本はGenerative AIの影響を受けやすい一方で、生産性向上の寄与も大きいことも示唆されています。

　ChatGPTと人間の比較に関する別の研究では、人間が優位な業務として、品質コントロール分析、複雑な問題の解決、数学、オペレーションモニタリングが挙げられています。

　本書に掲載した有識者のインタビューでも、Generative AIはホワイトカラーを中心とした職種、業務に影響が大きいことを前提にしつつ、人

間の強みである言語＋行動や経験、目的や課題の発見、倫理的対応力を生かす必要があるとの意見が得られています。Generative AIを活用することで人間の補完、強化が可能という見方に立ち、人間が主体となりながらGenerative AIを使いこなす必要があると考えられます。

(5) 第5章　Generative AIの倫理

AI全般が人間社会や価値観に影響を及ぼし、倫理的問題が生じる可能性について、2016年ごろから世界各国で議論が重ねられ、法規制や企業や関連団体でのガイドライン策定などが進められました。2019年、日本では内閣府が「人間中心のAI社会原則」、欧州では「信頼できるAIのための倫理ガイドライン」が公開されています。

Generative AIに関しては、ChatGPTに続きGPT-4が導入された2023年3月以降、法規制やガイドラインに関する対応及び検討が急速に進んでいます。

欧州ではGenerative AIにも関係するAI法の制定が予定されていて、米国や日本では企業による自主対応やガイドライン策定を中心とした対応の必要性が示されています。2023年4月に日本で開催されたG7デジタル・技術相会合では、AIの利用指針策定が提唱され、共同声明と行動計画では、国際的協調、連携の必要性も示されています。

AI全般の問題点として、公平性、透明性、プライバシー・個人情報利用、尊厳・自律・自己決定、セキュリティー・安全性、悪用可能性、著作権・知的財産権、教育・若年者の利用などが指摘されています。Generative AIは、従来型のAI以上に誤りや悪用、偏見・差別・フェイクの生成、個人情報を含むデータの透明性や偏り・保護、情報インプットと生成アウ

トプットに関する著作権など知的財産権の問題が大きいと考えられ、その対応が必要となります。

　Generative AIの問題への対応で先行しているのはOpenAIとAdobeです。OpenAIは、対話型AIの安全策策定、利用規約の改定のみでなく、Generative AIの雇用への影響、リスク評価などを実施しています。Adobeは2021年に「AI倫理原則」を公表し、2023年3月には著作権フリーの画像を利用した画像生成、編集機能を有するモデルを公表しています。これらは世界各国で進む法規制などへの対応という面もありますが、日本企業も参考にすべきと考えられます。

　今後については、日本と米国、欧州で法規制などの見解の相違があり、特に欧州でGenerative AIを対象にした規制が導入される可能性が高く、グローバルに事業を行う場合に留意が必要です。日本も政府や自民党での検討が進み、具体的な規制や倫理対応のガイドラインが策定されると考えられます。

　ただし、Generative AIの倫理的問題については、法規制以前に、企業や業界団体、学会などの関連組織による技術的対応やガイドライン、いわゆるソフトローによる対応が望まれます。行政においても、産業振興と倫理対応をバランスさせていくことが必要と考えられます。個人情報保護、著作権、誤りや悪用、教育への利用など個別の課題について、具体的に対応することが望まれます。

　また、Generative AIは障害者や高齢者の労働参加やQOL向上につながる利用も考えられ、このようなインクルーシブネスの向上といった視点での取り組みも期待されます。

（6）第6章　Generative AIの未来

　Generative AIに関する技術、機能は、今後も急速に進展すると考えられます。短・中期的には、組織内や法律、会計、マーケティング、研究開発など、特定分野のデータセットを活用し、専門特化された用途で活用することです。一方、OpenAIのCEOが述べているように、人類全体に利益をもたらす汎用人工知能（AGI）を目指す方向もあり、それは今以上にシンギュラリティの実現に近接することを意味します。

　また、テキスト生成、画像生成に加え、動画や音声、さらに長期的には人間の五感全般に関わるようなマルチモーダルの進展も進むと考えられます。Generative AIの課題とされる最新情報への対応、誤りの減少や悪用への対応、未来予測や意思決定・判断の支援なども、技術的に改善されると考えられます。

　一方で、Generative AIのみで可能な機能には限界もあり、ロボット技術やメタバース技術との融合により、より応用範囲が拡大します。ただし、これらの技術の進展や社会実装はGenerative AIよりは難しく、中長期的な視点での取り組みが必要と考えられます。技術に加え、倫理や法規制対応の面から慎重な開発や利用が必要な部分もあります。

　いずれにしても、デジタル化・DX化に出遅れた日本がその遅れを取り返し逆転する機会であることは間違いありません。

　Generative AIの世界市場は、2022年は100億ドル程度でしたが、2032年には10〜20倍程度の1,200億〜2,000億ドル程度まで増加するとみられています。地域別には、日本を含むアジア太平洋地域は、欧米より高い

成長率だと予測されています。

　Generative AIの企業内業務利用は既に行われており、調達、研究開発、製造などを含めて企業のバリューチェーンのほとんどに及ぶと考えられます。また、テキスト生成に加え画像生成を含むマルチモーダル化が進むことで、材料探索、合成データ作成、製品設計、建築・都市インフラ設計、コード生成・プログラミングなどに拡大し、ホワイトカラーに加えて現場レベルでの業務にも幅広く利用されると考えられます。

　このようなGenerative AIの用途拡大は、社内利用のみでなくビジネスとしての拡大も意味します。Generative AIの開発、導入、利用が今後有望な業界として、都市やインフラの設計、医薬品設計、材料科学、チップや部品設計、自動運転用などの合成データ生成、調達などが挙げられます。ロボットやメタバース技術との融合、教育やヘルスケアなどの領域も有望と考えられます。

　雇用や業務への影響は前述した通りですが、Generative AI導入の影響は組織内の従業員のみでなく、弁護士や会計士などの専門家、また芸術や文化に携わるクリエーターにも及ぶと考えられます。ただし、雇用や業務が失われるのみでなく、Generative AI導入による潜在顧客へのアプローチやツールとしての利用、また専門的な知識を有しない非開発プログラマーの拡大など、就業時間の減少や新たな雇用機会の創出にもつながります。短期的に有望な職種として、AIに関わるプロンプトエンジニア、非開発系クリエーターが挙げられ、Generative AIを活用が高齢者や障害者の労働参加を促進することも考えられます。

　人間がGenerative AIを使いこなしていく能力ともに、人間に強みのあ

る経験の活用や行動力、対人能力、コミュニケーション能力、課題発見
能力、判断評価能力などを磨いていくことが、どのような職種・業種に
おいても求められると思います。

7-2
今後に残された重要な論点

　本書では、Generative AIの動向を示すとともに、有識者のインタビューを実施して要点を掲載しました。インタビューでは、Generative AIに対する現状や将来性の認識、それに対して企業や個人が雇用や働き方といった面からどう対応するか、また企業のビジネスや個人の新しい働き方の機会はどこにあるか、といった視点を伺いました。

　第4章にインタビューのまとめの一部を示しています。有識者の専門性は異なりますが、類似した回答が多い一方で、同種の質問に対して異なる見解の回答が示されることもあり、どちらも注目すべき点です。

　また、Generative AIの動向分析からでは将来を見通しにくい部分もありますが、特にマクロ的な視点で日本の行政や企業がどう対応するべきかについて、筆者の試論を以下に示します。

日本におけるGenerative AIの研究開発、技術開発の方向性、可能性

　Generative AIの研究開発や実用化は、欧米を中心に、大規模言語モデルを利用した基盤モデルの作成などが進んでいます。一つの論点は、OpenAIのGPT-4やChatGPTなどを生かしてアプリ開発を進めるか、日本語や日本の情報を含む独自の基盤モデルを作成するかどうかという点です。基盤モデル開発は個別企業では難しいものの、国家プロジェクト

276　ジェネレーティブAIの衝撃

レベルではあり得るかもしれません。ただ、短期的には欧米の基盤モデルの上に日本および日本語の情報を増やし、活用していくことが現実的と考えられます。

　一つの方向として、日本がグローバルな基盤モデルの開発の場となり、実証、社会実装までを進めることはあり得ると考えられます。これは、OpenAIのCEOが岸田首相と面談したことに表れているように、日本の規制は比較的緩く、また遅れたデジタル化を取り戻し逆転させたい日本政府の意向も強いためと考えられます。もちろん、発生し得る問題への対応、リスク管理は必要ですが、一つの機会と捉えてよいと思います。

Generative AIの実証、社会実装を進める法規制、施策の必要性

　Generative AIについて、日米欧全般に法規制が強化されると考えられます。ただし、G7で国際協調の方向性が示されても、欧州が全般に厳しく、米国と日本は企業の自主規制による部分が重視されると考えられます。Generative AIの実用化、産業化を促進する意味では、特区で規制緩和を行い、実証・社会実装を進め、問題点があれば法規制も含めて対応していくといったようなフレキシブルな対応も望まれるところです。

Generative AIにおけるエコシステムの形成、可能性

　第1章や第3章に示したGenerative AIの現状の事業構造や産業構造から見て、Generative AIのコア部分は大規模言語モデルとその活用にある一方で、収益源はその下部にあるインフラであるクラウドプラットフォームやデバイスにあります。基盤モデルを利用するアプリなどの開発・事

業化にはスタートアップ企業が多く存在し、ベンチャーキャピタルの投資は増加しているとはいえ、収益モデルが確立しているとはいえません。現在の延長では、インフラ部分を手掛ける企業がスタートアップ企業との連携や買収も含めて垂直統合的に事業展開するという方向性が一番あり得そうなシナリオです。

　そのような状況で、日本のGenerative AI産業のエコシステムをどう構築するか、個々の日本企業がどう事業展開するかについては、かなり難しい問題です。海外企業との連携や誘致、スタートアップ支援、利用者の需要施策を含めて行政の役割は大きいと考えられます。

Generative AIを雇用、生産性向上の機会と捉えた 対応の必要性

　Generative AIがホワイトカラーの雇用・業務に大きな影響を与えることは間違いありません。ただし、雇用喪失というより業務・タスクレベルでの変化が主であり、生産性向上や新規の雇用創出も期待できます。人口が減少していく中で、女性や高齢者、障害者の労働参加、兼業や副業での活用といった面もあります。日本の国全体で見ても、デジタル化が遅れ、生産性が低く、1人当たりGDPの上昇が進まない中で、Generative AIはその状況を大きく変える可能性がある技術と考えられます。企業はまず自社で活用し、さらに事業化を検討するといった方向性での積極的対応が必要と思います。

おわりに

　Generative AIは2023年3月以降、日本の新聞やニュースなどのメディアで連日取り上げられ、その有効性や課題点についての議論も盛んです。当初はChatGPTに特化した話題が多かったのですが、それが対話型AIのみならず画像生成AIの話も含み、Generative AI全般に広がってきました。

　当初の反応は「ChatGPTはこんなにすごい」といったものでしたが、徐々に「こんなことにも使えるが問題も多い」となり、さらに「今後どう対応すべきか」といった論調に変わってきました。政治、行政的な視点での発言や対応は限定的でしたが、各国の規制対応、政府や自民党、自治体の対応、岸田首相のOpenAIのCEOとの面会、G7での重要な論点になるといったことで、政治、行政が前面に出てきたようにも思われます。

　このような動向は、Generative AIがいかに注目されているかを示しています。いずれブームは鎮静化するでしょうが、Generative AIが生活、働き方や雇用、企業の生産性や収益性、教育や人間の意識までも変える重要なイノベーションであることは間違いありません。それはビジネスパーソンのみならず、小学生から高齢者、また障害がある方でも利用でき、経済的な負担が少なくてもその効果を実感できるためです。その意味では、インターネットの発明に匹敵するか、それ以上のイノベーションといえるかもしれません。

　一方で、検討すべき課題が多いことも間違いなく、法規制のみならず、企業や業界団体の自主規制や技術的対応、また利用者側の倫理も問われ

ています。

　本書はこのようなGenerative AIについて、可能な限り直近までの動向を示し、またGenerative AIに対して異なる視点を有している有識者のインタビューを実施してまとめました。Generative AIに関する状況は日々変化し、用途や企業の利用は拡大、技術開発も急速に進展しています。そのため、書籍執筆後に新しい事実や動向は出てくると考えられますが、企業およびホワイトカラーの方々の検討の一助になれば幸いです。

　インタビューを実施させていただいた方々から貴重なご意見を頂きました。その中には、直近の働き方に関係することから、通常は思い浮かびにくい専門的な長期的視点での指摘、世界や日本の方向性への示唆などが含まれており、皆様には心から感謝を申し上げます。

　伊藤穰一さん、松尾豊さん、小田健太郎さん、樋口泰行さん、杉山恒太郎さん、さわえみかさん、金出武雄さん、ありがとうございました。

　第1章と第2章には、東京大学工学部松尾研究室から技術的なアドバイスを頂きました。

　Generative AIは、ビジネスにおける働き方に革命的な変化をもたらします。一方で、その影響はしばしば雇用の喪失というネガティブな視点から見られがちです。しかしながら、私たちが注目すべきは、より深い視点です。それは、プロフェッショナル活動の質の向上、新たな雇用の創出、そして週休3日制や余暇時間の拡大といった社会全体へのポジティブなインパクトです。

本書を手に取ってくださった皆様には、この大きな波に乗り、Generative AIの真価を引き出す一歩を踏み出し、その可能性を探求してみてください。遊び心を忘れず、そして常に進化する動向を見守りながら、あなた自身の働き方についての視点や行動を見つめ直すきっかけになれば、これ以上の喜びはありません。

　今、私たちが目の当たりにしているこのテクノロジーの進化は、あなたの手の中にあります。それをつかむ勇気が、未来への一歩となることでしょう。

伊藤 穰一 氏
デジタルガレージ 取締役 共同創業者
チーフ・アーキテクト

デジタルアーキテクト、VC、起業家、作家、学者として社会とテクノロジーの変革に取り組む。2011—2019年、米国マサチューセッツ工科大学（MIT）メディアラボ所長を務め、デジタル通貨イニシアチブを主導。クリエイティブコモンズの取締役会長兼最高経営責任者を務め、ニューヨーク・タイムズ、ソニー、Mozilla財団、The Open Source Initiative、ICANN、電子プライバシー情報センターなどの取締役を歴任。主な著書に『テクノロジーが予測する未来 web3、メタバース、NFTで世界はこうなる』（SBクリエイティブ、2022年）がある。

松尾 豊 氏
東京大学大学院工学系研究科 教授

1997年東京大学工学部電子情報工学科卒業。2002年同大学院博士課程修了。博士（工学）。産業技術総合研究所研究員、スタンフォード大学客員研究員を経て、2007年より、東京大学大学院工学系研究科准教授。2019年より、教授。専門分野は、人工知能、深層学習、Webマイニング。人工知能学会からは論文賞（2002年）、創立20周年記念事業賞（2006年）、現場イノベーション賞（2011年）、功労賞（2013年）の各賞を受賞。2020—2022年、人工知能学会、情

報処理学会理事。2017年より日本ディープラーニング協会理事長。2019年よりソフトバンクグループ社外取締役。2021年より新しい資本主義実現会議 有識者構成員。

小田 健太郎 氏
日本マイクロソフト株式会社 Azure
ビジネス本部 AI GTM マネージャー

音楽レーベル、ゲームパブリッシャー、フィンテック企業を中心にBtoC、BtoB両軸のマーケティング、プロモーション責任者として多くのサービスローンチを経験。2018年日本マイクロソフト入社、パートナーマーケティング、業界別の製品戦略リードを経て、2021年よりデータ分析・AI・機械学習製品のプロダクトマーケティングマネージャーとして、コアプロダクト「Azure AI」の国内戦略をリード。

樋口 泰行 氏
パナソニック コネクト株式会社
代表取締役 執行役員プレジデント 兼
CEO

1957年生まれ。1980年、大阪大学を卒業後、松下電器産業（現パナソニック）入社。1991年、米国ハーバード大学経営 大学院卒業。1992年、松下電器産業退社。日本ヒューレット・パッカード社長、ダイエー社長、マイクロソフト（現日本マイクロソフト）会長などを経て、25年ぶりにパナソニックに戻る。2017年から、パナソニック代表取締役専務執行役員兼パナソニック コネ

クティッドソリューションズ社長。2022年4月よりパナソニックの持株会社制移行に伴い、パナソニック コネクト株式会社が発足、現在は同社の代表取締役 執行役員プレジデント 兼 CEOに就任している。

杉山 恒太郎 氏
株式会社ライトパブリシティ
代表取締役社長

1948年東京生まれ。立教大学卒業後、電通入社、クリエーティブ局配属。90年代にカンヌ国際広告祭国際審査員を3度務めたほか、英国「キャンペーン誌」で特集されるなど、海外でも知られたクリエーター。
1999年デジタル領域のリーダーとしてインターネット・ビジネスの確立に寄与。トラディショナル広告とインタラクティブ広告の両方を熟知した稀有なキャリアを持つ。電通取締役常務執行役員などを経て、2012年ライトパブリシティへ移籍、15年代表取締役社長就任。主な作品に小学館「ピッカピカの一年生」、サントリーローヤル「ランボー」、AC公共広告機構「WATER MAN」など。国内外受賞多数。2018年ACC第7回クリエイターズ殿堂入り、2022年全広連「日本宣伝賞・山名賞」を受賞。

さわえみか 氏
株式会社HIKKY　取締役COO/CQO

広告・スマホゲームのアートディレクターを経たのち、2017年末からメタバース空間での活動を開始。2018年から、メタバースに身を置くメンバーと共に株式会社HIKKYの立ち上げに携わり、「バーチャル

マーケット」など、デジタル空間での活動の体験・文化をつくることに尽力。仮想空間での自由なクリエーティブをサポートするメタバースエンジン「VketCloud」を開発中。プラットフォームを超え、誰もがいろんなバースに自由に行き来できる未来を目指す。2児の母であり、娘は母の使うアバターも母として認識している。

金出 武雄 氏

カーネギーメロン大学ワイタカー
記念全学教授
京都大学高等研究院 招聘特別教授
産業技術総合研究所 名誉フェロー

米国カーネギーメロン大学コンピュータサイエンス学科及びロボット研究所においてコンピュータービジョン、マルチメディア、マニピュレーター、自律移動ロボット、医療ロボット、センサーなどのロボット工学の複数の分野においてテクロノジーの先駆者として、複数アルゴリズムや応用技術を創出してきた。1990年代にいち早く自動運転プロジェクトを実現したほか、コンピュータービジョンで最も基本的で幅広く使用されているアルゴリズムの一つであるLucas-Kanade法、マルチカメラスポーツメディアとして使用されるリプレイシステムなどの成果もある。インパクトファクター（H指数）においてもトップのコンピューター科学者の一人であり、400以上の雑誌出版物と15万の引用件数といった実績を誇る。京都賞受賞者、文化功労者。

馬渕 邦美

LLM-X

大学卒業後、米国のエージェンシー勤務を経て、デジタルエージェンシーのスタートアップを起業。事業を拡大しバイアウトした後、米国のメガ・エージェンシー・グループの日本代表に転身。4社のCEOを歴任し、デジタルマーケティング業界で20年に及ぶトップマネジメントを経験。その後、米国ソーシャルプラットフォーマーのシニアマネージメント職を経て現職。経営、マーケティング、エマージングテクノロジーを専門とする。

現任：グローバル コンサルティングファーム パートナー 執行役員
一般社団法人Metaverse Japan共同代表理事
一般社団法人人工知能学会正会員

著書：
『データ・サイエンティストに学ぶ「分析力」』（日経BP、2013年）
『ブロックチェーンの衝撃』（日経BP、2016年）
『東大生も学ぶ「ＡＩ経営」の教科書』（東洋経済新報社、2022年）
『Web3新世紀　デジタル経済圏の新たなフロンティア』（日経BP、2022年）

ジェネレーティブAIの衝撃

2023年6月26日　第1版第1刷発行	著　　者	馬渕 邦美
	編集協力	高畠 奈沙
		久保田 陽登美
	発 行 者	森重 和春
	発　　行	株式会社日経BP
	発　　売	株式会社日経BPマーケティング
		〒105-8308
		東京都港区虎ノ門4-3-12
	装　　丁	bookwall
	制　　作	マップス
	編　　集	松山 貴之
	印刷・製本	図書印刷

Printed in Japan
ISBN978-4-296-20268-3